金融義賊

エフ

実業之日本社

金融義賊

CONTENTS

装丁　bookwall

第1話

くたばれ上級国民

「くたばれ上級国民」

そう思っている人間は、きっとごまんといるに違いない。

では、そのうちどれだけの人間が具体的な計画をしているだろうか。

金持ちの肉体を、精神を、地位を、権力を、具体的にいつどこでどうやって喪失させようとしているだろうか。

俺は仕事で、明らかに一般国民とは異なる〝特別な生い立ち〟の人間たちを相手にしている。

だから断言できるが、インターネットで何を言おうが奴ら（やつ）を害することはできない。包丁を持って町で暴れても奴らは刺せない。歩行者天国にトラックで突っ込んでも奴らは轢（ひ）けない。電車に放火しても奴らは乗っていない。

ただ暴れるだけでは、奴らを害することなどできない。確かな計画と準備、能力が必要だ。

――そうしてやっと、弱者の牙は強者に届く。

＊　＊　＊

「平和ですねぇ」

後輩の下柳（しもやなぎ）が言うので、俺は応えた。

「うちの支店以外はな」

「……先輩、思い出させないでくださいよぉ」

下柳は、ソースと青のりのついた紙皿に割り箸を叩（たた）きつけて頭を抱えた。

「月末だってのに、支店の収益や投信、純増どころか、募集物の予算すら埋まってないなんて雰囲気最悪っすよ！」

「そうかもな」

「僕、あんな殺伐とした雰囲気の支店に戻りたくないっすよ！　課長の顔怖いし、中堅以上の先輩たちは課長から詰められてるし、その課長も支店長から詰められてるし。てか支店長、課長を詰める様子をわざと僕らに見せてません？　あれ課長を通じて間接的に、こっちにプレッシャーかけてますよね!?」

「そういうパワハラテクニックだな」

「だから僕、月末を乗り切るまで適当に外回りの理由作ってサボることに決めたんです！　あ！　婆(ばあ)ちゃんお好み焼きおかわり！」

駄菓子屋の婆さんは「はいはい～」と呑気(のんき)に応じ、新しいお好み焼きを作り始めた。

「シモ。お前、一年目なのにサボりとは、いい度胸してるよな」

「え、そっすか？」

俺が下柳という男のどこを気に入っているかというと、人懐っこくて憎めないところ……などではなく、まずは歯並びの悪さだ。上前歯のうち一本が手前に浮いていて、全体的にすきっ歯。また、笑う時に両奥の銀歯が見えるところや、歯が黄ばんでいるところもいい。

それ以外で気に入っている部分があるとすれば、まぁ地方の裕福ではない家庭出身というところだろうか。

「義田(よしだ)先輩は営業成績ぶっちぎりだからいいですよね。課長からも強く言われずに済んで」

「俺はＦＡ(ファイナンシャル・アドバイザー)職だからな。総合職のお前らと違って課の予算にさほど責任を持たない」

「僕、その辺よく分かってないんですけど、ＦＡ職ってなんなんですか？　義田先輩も僕らと同じように営業してるわけで、違いがよく分からないんですが……」

「要するに営業専門職だよ。お前ら総合職と違って他の支店や部署に異動することはない。給料もほぼ出来高制で、成績に大きく連動する」

「え、給料出来高制なんすか……。なんか僕らよりもシビアなんすね……」

「一応正社員だが、ほとんど個人事業主みたいなもんだ。だから課の予算に大きく振り回されずに済むが、数字が取れなきゃゴミみたいな給料で働くことになる」

「へぇ……。ちなみに先輩は年収おいくらなんすか？」

「去年は三千万くらいだったな」

「……まさか先輩って、支店で一番稼いでます？」

「支店長よりはな」

俺の言葉に下柳は天を仰いだ。

「出来高制エグいなぁ……」

「基本給が厚いほうが安定するだろ」

そのとき、駄菓子屋の店先まで出てくる足音がした。

「お好み焼き、お待ちどおさま」

「ありがとう婆ちゃん！」

呑気な婆さんが運んできたお好み焼きを、呑気な新人証券マンがほおばっている。

敢(あ)えて言う必要もないので話さなかったが、俺がＦＡ職で証券会社に就職したのは、高卒者が証券会社に入り込む数少ない方法だったからだ。応募にあたり大卒以上の学歴を必要とする総合職や投資銀行部門と違い、ＦＡ職は学歴不問が多い。

「義田先輩。新規開拓マジでキツいんですけど、何か上手(うま)いやり方ってありませんか？」

「金持ち探して、当たるだけ」

「説明になってないっすよ……」

「本当にそれだけだしな」

取りつく島もないと思ったのか、下柳はのんびりと周囲を見回した。

「そういや、この駄菓子屋も長く続いてそうっすよねぇ。意外と儲(もう)かってたりして」

「儲かってはいないだろ」

「え、そうなんすか？」

「その棚の十円菓子……今は十二円か。それを問屋から仕入れるときの相場が八掛けだ」

「八掛けって？」

「店頭価格の八割の価格で仕入れているということ。一個十二円の菓子なら九円六十銭」

「じゃあ一個売れたら、利益は二円四十銭？　銭なんて単位、普段聞かないですけど……」

「この店のガチャポンなら、粗利益率はざっと三割前後。店で一番利益率の高い商品は、多分お前が今食ってるお好み焼きじゃないか」

「そ、そうなんすね……」

「こんな場所で、婆さんひとりでやってる小さな駄菓子屋だ。月間来客数なんて三百人もいればいいほうだろ。その大半はガキだろうから客単価百円として、月間売上高は推定三万円。粗利益は多く見積もってもその三、四割ってところ。そこから水道光熱費を差し引いて、残ったのが婆さんの収入」

「えぇ……それって商売として成り立ってないじゃないですか……」

　下柳が苦い表情になる。俺は頷いた。

「この駄菓子屋がなぜ成り立ってるのかというと、婆さん一人が自分の持ち家でやっていて、土地代と人件費がかからないからだ。出ていく金が少ないから潰れてないってだけで、儲けなんてほとんどない。そんな店、街を見渡せば大量にあるだろ」

「そんな儲からないのになんで店なんてやるんすか？」

　当然の疑問だ。俺は考える間もなく答えた。

「長いこと個人事業やってて国民年金保険料しか支払ってないような老人は、よっぽどの蓄えでもない限り年金生活に不安を抱えているもんだ。店やるのは半ば老後の娯楽、半ば生活のためだろうよ」

　下柳は青のりのついた前歯を見せながら「はぇ～」と頷いた。

「シモ。金持ちを見つけたいなら、このくらいの推定しながら町を歩けよ。数当たるのは営業の基本だが、証券マンは金持ち相手じゃないと商売にならない。貧乏人に営業してもしょうがないぞ。金持ちの探し方から覚えろ」

「は、はい！　なんか、ありがとうございます！」

じゃあ俺は行くから、と立ち上がって片手を挙げると、下柳が不思議そうに訊いた。

「サボらないんすか？」

「このあと一件、アポがあってな」

「義田先輩って、なんだかんだ働いてますよね……」

そこでふと思い出し、俺は呑気な後輩を振り返った。

「あ、そうだ。お前に聞きたいことがあったんだった」

「なんすか？」

「シモ、お前ガキの頃、保育園通ってたろ？　幼稚園じゃなくて」

「え？　そうですけど……なんでわかるんですか？」

ぽかんとだらしなく口を開いている。その顔へ、俺はもう一度軽く手を振った。

「なんとなくだよ。じゃあな」

駄菓子屋を出て、大通り沿いに南下し、寺川駅の中を通り抜ける。

東京郊外にあるこの町は、北側と南側で別世界だ。駅の南口を出ると、街路樹の立ち並ぶ幅広な「大学通り」が目の前に現れる。

通りの道幅は約四十三メートル。片側二車線の広い車道と歩道の間には、桜と銀杏（いちょう）の樹が植えられており、道は南側に真っ直ぐ（ますぐ）約一・三キロも伸びている。春には桜並木が、秋には銀杏並木が見られるここは、一応、東京では桜の名所に数えられている。

大通り沿いにはスーパーマーケットや書店、飲食店、有名国立大学などが並ぶが、ゲームセンターやパチンコ店、ネットカフェ、ホテル、風俗店などの類いはない。その理由は、今から七十年以上昔の朝鮮戦争勃発時にまで遡る。当時、隣にある座川（ざがわ）市の軍事基地が米軍前線基地となり、米兵相手に商売をする店が栄え、その出店はこの寺川市にまで及んだらしい。

今も昔も意識の高い環境危惧人間はいるもので、いかがわしい店で町の環境が損なわれることを危惧した市民たちは運動を起こし、町を二分する大論争の末「文教地区指定」を勝ち取った。以降、駅周辺にいかがわしい店がない〝清潔で緑豊かで閑静な町〟になったというわけだ。いかにも意識の高いエピソードである。開発を阻止し町の環境を守った住民達はそれを誇りに思っているに違いない。

そういう店が町にないということは、そういう店に客を呼び込む人間も、そういう店に入り浸るような人間もいないということ。当然、治安は良い。

ドイツの学園都市ゲッティンゲンをモデルとし、計画的に作られたこの町には、小学校からろう。

大学まで数多くの学校が所在する。それだけに子育て世帯も多く住んでおり、彼らをターゲットとした教育サービスも充実している。駅周辺にある有名学習塾にお坊ちゃんお嬢ちゃんが列をなして通う様子も、お馴染みの光景だ。きっと名門中高一貫校への合格を目指しているのだろう。

〝たまたま〟この町に住む親の下に生まれた子供は、なんと恵まれていることだろう。緑豊かで治安が良く、不便もなく十分な教育サービスを受けられ、幼稚園に通い、お受験を経て良い小学校、良い中学校、良い高校、そして良い大学に通い、労働条件の良い就職をし、経済的に豊かになり、家庭を持ち、良い場所に住み、子供を作り、良い教育を受けさせる。

その成功は、丸々そいつの実力か？　いや断じて違う。親やその親、さらにその親が代々積み上げてきたものの上にある成功だ。

今さらこんなことを言うのも青臭いが、つまり、人間というのは生まれた瞬間から平等ではない。明らかな格差がある。

勘違いしないでもらいたいが、俺は社会的成功者それ自体を憎悪しているのではない。一代で成り上がった成金や、それに群がるセレブ気取りの馬鹿女を憎悪することもない。しかし、先祖代々継承したもので成功者を気取る連中が集まるこの町が、憎くてしょうがない。

格差再生産の象徴のようなこの町に比べれば、成金どもが住む町の方がよほどマシだ。

さて、そんな町で俺は何の仕事をしているのか。

言葉で説明してもいいが、ちょうど客先に着いたところだ。実際の現場を見たほうが分かりやすいだろう。

＊　＊　＊

『はい』

インターホンを押すと、嗄（しゃが）れた低い声が聞こえてきた。

環境や教育意識の高い町だが、都心の有名高級住宅街のようにセレブな町並みではない。しかしどこにでも高級住宅街というのはあるもので、この家もその一部だ。

外から来た金持ちではなく、昔からここに住んでいる金持ちによって形成された高級住宅街である。新参者はほとんどいない。ここらに住む連中は、きっと金を手に高級住宅街に進出してくるような成金を下劣なものと扱うに違いない。

「帝日（ていじつ）証券の義田です」

「ああ、どうも。今開けます」

立派な正門ではなく、裏の勝手口のロックが解除された。

俺はいつもここから中に入ることになっている。雅（みやび）なお客様は、卑しい証券マンに正門を開けては下さらないらしい。……まぁ、証券会社と関わりがあることをバレたくない顧客は珍しくないし、慣れているので気にもならないが。

「お邪魔いたします。梅の花が咲き始めていましたね。これからが楽しみですね」

「うん、そうそう。一昨日くらいからね。あがってあがって。いつもの部屋に」

「失礼いたします」

四季折々の風景が楽しめるという庭が、この爺さんの自慢のひとつだ。

俺はいつも、この豪邸に入る前に庭の様子を見てコメントを用意しておくことにしている。何を褒めてもそっけない反応しか返ってこないが、あれは実のところ喜んでいるのだ。庭の話でポイントを獲得し幸先のいいスタートだ。客の案内どおりにいつもの廊下を進む。

商談用の応接間に続く廊下には、絵画や彫刻が飾られている。これも客の自慢のひとつ。定期的にラインナップが変わるので、廊下を歩きながら目を通し、変化があればコメントするようにしている。

「あ……こちらの絵画、新しいものですよね？」

「気づいたかい。先日画商で買ってね。レンブラントの真作だよ」

「それはそれは。私はあまり詳しくはありませんが、確かにレンブラント特有の明暗表現が素晴らしいですね」

レンブラントの真作……？

少なくともレゾネにこの絵は載っていなかったと思うが、余計なことは言わないでおこう。

「そっちの静物画も、新しく買ったんだよ」

「あ、そうですね。先日はありませんでした」

「分かるかな?」

何様のつもりなのか、この客は含みのある言い方でよく俺を試してくる。

「……そうですね。私もそこまで詳しいわけではありませんが……これはヴァニタス画でしょうか。テーブルの左側に置かれた宝石は富を意味し、その横にある熟れた果実と砂時計は時間の経過を、右側の髑髏(どくろ)は死をそれぞれ暗示しているのでしょう。そこから推察するに、いくら富を持とうと死は免れない、という寓意が込められている絵画ではないかと……」

「君はよく分かっているね。そんな皮肉が面白くてね。飾っているんだよ」

「直接的な描写よりも味わい深く、見る者が見なければメッセージの意味が分からない、知性と教養に訴える絵画だと思います。こういった芸術品を好まれるのは、さすが教養人の金井(かない)様らしいですね」

そう持ち上げると、客――金井老人はまんざらでもなさそうに笑う。

「ははは、私が教養人? 止(よ)してくれよ」

ヴァニタス画は十七、十八世紀にヨーロッパで流行した〝寓意の込められた静物画〟だ。一見ただの静物画なのだが、描かれている果実や花、宝飾品などにはそれぞれ意味が込められており、それらを読み解くことで絵画全体のメッセージを推察するという楽しみ方をする。

見方がわからない人間にはただの静物画にしか見えず、分かる人間には意味が分かる……という、いかにも選民的な人間が好みそうな趣旨の絵画だ。宝飾品などで豊かさを、骸骨などで死を暗示し、世の虚(むな)しさを皮肉的に表現している絵が多い。

俺は芸術とやらに全く興味がないし、面白いとも素晴らしいとも思わない。しかし、こういった趣味を持つ金持ちは珍しくないものだから、話を合わせるため最低限の勉強はしている。全ては客を喜ばせるための手段だ。

「さぁさぁ、そこに掛けてくれ。今、使用人に紅茶を持ってこさせるから」

「あ、どうぞお気遣いなくお願いいたします」

案内された部屋はもっと堪(たま)らない。いかにも「貴族です」といった風のチェスターフィールドのソファーと、ガレのひとよ茸(たけ)を模したと思われるキノコランプ。部屋中に置かれている美術品やインテリアも、ひとつひとつに言及していくとキリがないが、特にアール・ヌーヴォー期のガラス製品がお好みらしい。大地震でも起きて全部割れてくれないものだろうか。

「本日はお忙しい中、お時間をいただきありがとうございます。いつもながら素晴らしい芸術品に囲まれたお部屋で、私としてはコレクションについて是非詳しくお話を伺いたいところなのですが、私の時間と金井様の時間は等価ではないでしょう。金井様の貴重なお時間を無駄にしないため、まずご提案をさせていただいてもよろしいでしょうか？」

「そんなに気を遣ってくれなくていいんだが、どうぞ」

そうとでも言って先に商談を済ませておかないと、こいつのコレクション話が最低二時間は続いてしまう。コレクターは話を聞いてくれる相手を常に探しているが、話の分かる人間というのは少ないし、話を聞き続けてくれる人間はもっと少ない。だから、俺のような人間をコレクターは求めているのだろう。

「金井様もご存知でしょうが、米国ＦＲＢの利上げにより、日米金利差は来年まで拡大が続くと予想されます。金利差の拡大により、円安、米ドル高がしばらく続く見通しです」

「銀行からも同じことを言われたよ」

この金井という男は資産家だ。うちに預けている株式や社債などの資産だけで十億円ほどになる。他の金融機関にも資産を預けているから、金融資産だけで数十億円は保有しているはずだ。複数の不動産も所有しているので、総資産は百億円を超えているかもしれない。

こいつがうちに預けている株式の平均配当率は二・八％、社債の平均利回りは一・三％。それらを合算すると、日本円にして毎年約二千万円ほどの不労所得が入る計算になる。株式や社債にかかる税率は二〇・三一五％だから、手取りで約千六百万円だ。他社に預けた株式や不動産からの収入もあるから、毎年働かずどれだけのキャッシュフローを得ているのか分からない。

さて、この男はどうしてそこまでの富を持っているのか？　何のことはない、ただの相続である。こいつの父親は昔それなりに有名な国会議員だった。三人の息子のうち、長男は現在国会議員、次男は一族経営の会社を継いで社長をしている。そして三男のこいつは……正直なんなのか判然としない。

金持ち相手の商売をしているとたまに会うのだ。何をやっているのか分からない金持ちと。

一応、こいつは一族経営の会社に勤め、数年間は役員をしていたこともあるらしい。そこを辞めた後は見てのとおり趣味に没頭し、知り合いの出版社の雑誌に美術評論を寄稿してみたり、美術に関する講演をしてみたり、投資家たちと交流してみたり、慈善活動家でもあると聞く。

要するに金とコネだけ持ったニートが、暇にあかせてごっこ遊びをしているだけで、こいつ自身は何ら財を築いてはいないのだ。

こいつはオギャーと生まれた瞬間から、それだけのキャッシュフローを得られることが決定していたのである。自分が築いたわけでもない資産で生計を立て、投資家を気取り、文化人を気取り、社会的成功者であるかのような顔をして、恥ずかしくはないのだろうか。

税金も税金だ。こいつが株や債券でいくら収益をあげようが、かかる税率は一律二〇・三一五％。過去には株式の利益にかかる税率が一〇％という時代もあった。一方で、俺は昨年どれだけの税金を取られた？　所得税と住民税、社会保険料で年収の半分ほどを納めたぞ。

この世の不平等を呪わずにはいられない。

「どうぞ」

「あ、どうもありがとうございます」

使用人が運んできた紅茶は、いつものフォートナム・アンド・メイソンだ。イギリス王室御用達の紅茶に、チェスターフィールドのソファー。この客は英国紳士気取りなのだ。

「金井様は既に多くの米ドル資産をお持ちですから、今から慌てて米ドルを購入する必要性もないかもしれませんが。……ところで、確か銀行で米ドル建ての定期預金を組まれているというお話を以前伺いましたが、年利何％で運用されていらっしゃるのですか？」

「確か……ゼロコンマ数％だったかな。うろ覚えだ。何せ一昨年預けたものだから」

「そうですか。つまり、ＦＲＢの利上げ前に購入した米ドル定期預金がおありなんですね」

そうだね、と金井老人は応じる。

「それについて、銀行側から新たな提案などは？」

「電話はよくかかってくるが、あの担当者は芸術の何たるかを知らない。どうやら関心すらないらしくてね。そういった無教養な人間の話を聞く気になれんのだよ」

俺は大きな仕草で頷いてみせた。

「なるほど、なるほど。確かに、金井様のように高尚なご趣味をお持ちの方と、多少なりともお話ができる人間は限られるかもしれませんね……」

金は人を自由にさせる。自由な金持ちが経済合理性から離れていくことは珍しくない。銀行側がどれだけ経済合理性のある提案をしたところで、「人間的に気に入らない」という理由で話を聞かないなんて、よくあることだ。

「しかし、銀行に預けていらっしゃる米ドル定期預金、あまり良い条件とは言えませんね」

「言われてみれば、そうだね。今ならもっと良い条件で定期預金を組み直せるかもしれない」

「それでもよろしいでしょうし、弊社では高配当の米国株式なども取り扱っておりますが」

金井は「株かぁ」と、思わしげに首をひねる。

「他にも……そうですね、年利三・七％の五年物米ドル建て普通社債を取り扱っております」

株式と聞いて警戒した客を見て、セカンドプランで用意した社債の提案に切り替えた。

社債とは、企業が資金調達のために発行する債券のことだ。企業側は資金調達できる代わりに社債を購入した投資家に利息を支払う。通常の社債には満期が設けられており、企業が倒産でもしない限り、満期まで保有すれば購入額がそのまま投資家に返ってくる。今回提案した社債の場合、満期は五年後だ。普通社債は証券会社が取り扱う商品の中で比較的安全性が高く、定期預金代わりに購入する投資家も多い。

ちなみに、国が発行した債券のことを「国債」という。これは多くの国民がニュースでよく聞く言葉だろう。「社債」はその民間企業版というわけだ。

「社債か。発行体は？」

「国内大手自動車メーカーＴ社傘下のオーストラリア法人、ＴＦ社の米ドル債です。格付けはＳ＆ＰでＡ＋、ムーディーズでＡ１をつけています」

「米ドル建ての普通社債ということは、主に発行体の信用リスクと為替リスクがあるね？」

「満期まで保有する場合は仰るとおりです。金井様は既に銀行に米ドルをお持ちでいらっしゃいますから、それを弊社に送金いただくだけでご購入可能です。こちらの方が、米ドル定期預金よりも良い条件で運用できると思います」

「分かった。検討しておくよ」

「ありがとうございます」

俺は恭しく書類を捧げ持った。

「こちら、商品説明資料と目論見書になりますので、ご検討よろしくお願いいたします。ご購入の際は、内容をご確認頂く必要があります」

「ああ」

この客の「検討」は、購入と同義だ。証券マンからの提案に乗ってその場で購入を決めるのはプライドに障るらしく、大体は後で支店に電話をかけて注文してくる。だから、商品説明資料とともに目論見書を渡しておくと手っ取り早い。

目論見書は、投資信託や債券などの購入時、投資家に渡すことを義務付けられている書面だ。その商品のリスクや手数料などの重要情報が記されている。顧客が商品を注文する際は、証券会社側が必ず、目論見書の内容を相手が理解しているか確認することになっている。

実際のところ、こんな細かい書類を隅から隅まで読んでいる投資家は多くない。せいぜい、主なリスクと手数料を確認するくらいだろう。

「さて、金の話は置いといて。どうだいあそこのガラス瓶。この前、アンティークショップで見つけて驚いたよ。あれは紛れもなくアール・ヌーヴォー期の……」

あとはこの客の自慢話にいくらか付き合って、商談終了だ。

身振り手振りをまじえて話をする客の腕には、グランドセイコーがはめられている。

この男は数々の高級時計もコレクションしているが、実用品は親から譲り受けたこの時計なのだとか。そういうところも〝分かった人間〟のようで気に食わない。馬鹿みたいにパテックフィリップや金無垢のロレックスをつけている成金のほうが遥かに清々しい。

六十歳を過ぎても歯は綺麗に並んでおり、年齢的にありがちな歯周病の気配もない。紅茶を愛飲しているわりには歯も白い。定期的に歯科に通っているのだろう。爪の状態は良好で、水分不足やストレスなどによる爪割れや縦筋も見当たらない。肌つやも良く、睡眠や栄養もしっかりとれているのが窺える。

腹が立つほど健康的なジジイだ。きっと長生きするだろう。


「貴重なお話、ありがとうございました。勉強になりました」

「うん、またおいで」

商談を終え、勝手口から外に出ると夕暮れが近くなっていた。いつもながら、随分と長話に付き合わされたものだ。

新発普通社債を販売しても大した手数料収入にならないが、これで少なくとも数千万円程度の新規資金導入になるはずだ。本当は株式や株式投信を購入させたかったのだが、今回はこれでもいい。銀行からうちに資金を移動させれば、今後の提案もやりやすくなる。次の提案で株式か株式投信を買わせよう。

「金は天下の回りもの」というが、それは正確ではない。現実には、金を貯め込み流れを止める悪性腫瘍のような人間たちがいる。その腫瘍を針で刺し、破裂させ、貯め込まれた金を市場に流すのが証券会社の社会的意義といえるだろう。

調達された資金は、民間企業の事業に利用される。企業の財務内容にも寄与するし、そこに勤める者にとっても悪いことじゃないだろう。

こうして金持ちが銀行に貯め込んでいる金を吐き出させて、直接金融の発行市場に流せば、少しは労働者に貢献することができるかもしれない。それに、今は庶民も投資をする時代だ。金持ちの金を流通市場に流せば、彼らの投資利益にも繋がるだろう。

もっと金持ちからの信用を集めよう。もっと金持ちが貯め込んでいる金を吐き出させよう。それが、俺の考える社会貢献計画の一部。そして、最終的には……。

第2話

カフェで教育の話をするな専業主婦ども

商談を終えて支店に真っ直ぐ戻るほど、俺は律儀な社員じゃない。

どうせ、今戻っても課の連中が血相変えてノルマを詰めている最中だろう。見たくもないし、定時になるまでどこかのカフェで暇つぶしだ。

町を歩いていると、俺はいつもこういうことを考える。

今、俺が通り過ぎた一軒家は誰のものだ？　おそらく、あの一軒家に住んでいる人間のものだろう。では、あそこのガレージに駐められた車は誰のものだ？　おそらく、ガレージのある一軒家に住んでいる人間のものだろう。ならば、正面に見えるマンションは誰のものだ？　おそらく、物件オーナーのものだろう。それでは、道路を渡った先にある不動産会社は誰のものだ？　株主のものだろう。

　そういう目線で町を歩いてみると、この目に映るものは絶対に誰かが所有しているという当たり前の現実に気づく。そして驚愕（きょうがく）する。あの何の変哲もない一軒家は、一体何千万円する？それが、あんなに並んでいる。車も当たり前のように駐まっている。駅周辺にある綺麗なオフィスビルも有名企業も、遡れば結局誰かの所有物なのだと考えると、逆に現実味がない。

　国税庁の令和二年民間給与実態統計調査によれば、二十代前半男女の平均給与は約二五九万円、二十代後半で約三六一万円、三十代前半になっても約四〇〇万円。たったそれだけの給与で、この国にどんな未来予想図を描けるというのか。何を所有できるというのだろう。所有することを諦め、町の景色に加わらない選択をする者たちが増えるのも理解できる。

　そんな住宅街を抜け、大学通り沿いのカフェチェーン店に入った。店頭でホットコーヒーを注文し、二階へ上がる。

　この店の二階は大学通り沿いの桜と高さが丁度合う。二月の今は殺風景だが、春には満開の桜を窓越しに見ることのできる花見スポットだ。低価格帯の店なので、ここにはハイソぶった客が少ない。ひとり客が多く、雑談する者も少ないのでよく利用している。これがもし同じ通り沿いにあるコーヒーが五五〇円もする店だと、昼間っから専業主婦や老人たちがたむろしていて鬱陶しい。それで子育てや孫の話なんかをしていると、さらに嫌な気持ちになる。

窓越しに町を眺めながらコーヒーをすする。

考えてみると、証券会社の営業というのは結構プライバシーに踏み込む職業だ。扱う商品は株や債券、投資信託といった有価証券だが、いわゆる「ファイナンシャルプランニング」のためには、顧客の人生設計についても聞かなければならない。その顧客がどんな仕事をしていて、どの程度の収入や資産があって、子供が何人いて、どのような教育計画で、老後をどう考えていて、相続をどうする予定なのか、などの情報も耳にする。それらについて顧客が全て話してくれるかどうかは、証券マンと顧客の信頼関係によるだろうが。

とにかく業務の結果として、俺たちの知識は金融に留まらなくなる。自然と顧客の趣味嗜好や価値観や文化など、金融と無関係のことにも知見が広がってしまうというわけだ。むしろ金融商品の提案と直接関係ない雑談こそが、情報収集のためには重要といえるかもしれない。

そんな仕事をしていて俺がいよいよ堪らなく思うのは、格差の存在だ。

さっきの金井という客も典型的なそれで、人間というのは生まれた瞬間から格差がある。単に経済的な格差があるだけならばマシだが、そういうものはえてして教育にも及ぶ。出自に恵まれた人間が、どれだけ恵まれた環境で育ち、恵まれた教育を受けているのかを俺は知っている。そんな恵まれた人間たちが子供を作り、またどれだけ恵まれた教育を施すのかを俺は知っている。教育格差の一端は「学歴」にあらわれたりもするが、それは単なる結果で、表層的なものに過ぎない。真に絶望的な格差は、その結果に至るまでの教育プロセスにある。

「下の子何歳でしたっけー？」

「今二歳なのー」

「あー、大事な時期ですよねー」

「そうそう。最近は自分で絵本読んでる」

「うちの子は単語カルタやらせててー」

「あー、いいらしいねそれ」

「やっぱり、子供の頃の語彙力大事ですからねー」

「ねー。三千万語の格差ね」

いつの間にか教育ママたちが店に入り込んでいたようだ。さすが、この町に住む意識の高いママは、教育についても一家言あるらしく鬱陶しい。

彼女たちが口にした「三千万語の格差」とは、子供が生まれてから四歳になるまでに聞いた言葉の質や数がその子の将来に関わる、というアメリカの有名な調査研究のことだろう。

調査によると、経済力の高いグループの親ほど子供に話しかける数が多い傾向がみられ、その語数を経済力の低いグループと比較すると、四歳までに三千万語以上の差があるのだという。その差は子供の三歳終了時点での言語習得数や、その後の学習能力にも影響する。また、経済力の低いグループの親ほど子供に対して否定的な言葉を投げかける数が多く、経済力の高いグループの親は肯定的な言葉を多用する傾向があるそうだ。その差は子供の人格形成にも少なからず影響するだろう。

今どきの言葉を用いれば、「親ガチャ」の存在を明らかにするかのような調査である。

そういった教育効果を知っている親は、幼少期教育を非常に大事にする。望ましいとされる言葉を子供にたくさん投げかけ、言語によるコミュニケーションを積極的にとり、絵本を読み聞かせ、小道具によって楽しく学習をさせ、他人とも積極的に交流させる。これが将来の学習の素地となるのだ。

ひと昔前のドラマやアニメには、子供に勉強を詰め込み、偏差値を高め、受験に成功させることを「教育」と思い込んでいるヒステリックな教育ママ・パパが登場したものだが、アレはむしろ教育としては間違いである。それが、多少知識のある親たちの共通認識だ。

まず幼少期に学習の素地を作ることが重要で、その先に受験があり、学歴があるのだということを、教育知識のある親たちは知っている。素地を無視して偏差値だけを高める教育は、子供の成長をどこかで歪め、最悪、社会からのリタイアを招く。

つまり教育格差というものは〇歳時点から発生しているのだが、質の良い教育を受けられるのは子供の力ではない。たまたま教育知識と能力、経済力のある親の下に生まれ、たまたま良い教育を受ける機会に恵まれた子供が、その結果として高い学歴を得ているだけなのだ。それを自分の実力だと思いこんでいる人間の多さに、俺はうんざりする。

カフェの窓から見えるこの町の景色にすらうんざりしてくる。まるで「これこそが正しき人生なのである」と上から言われているような気持ちになる。

……そろそろ支店に帰ろう。この空間の耐え難さよりはマシだろうから。

＊　＊　＊

「戻りました」

寺川駅から徒歩一分のオフィスビルの中に、俺が勤める帝日証券寺川支店がある。

一階には顧客対応用のブースが並び、奥にエレベーターと階段がある。客がいなくても管理職以外の社員は原則としてエレベーターを使ってはいけないという謎のルールがあるので、階段で二階へ上がる。

ここが俺たち営業の働くフロアだ。二十人程度しかいないので、そこまで広くはない。六、七名を一組とした課が三つあり、俺は「営業部第一課」に属している。

課ごとに分けられたデスクの上にはパソコンや固定電話、チャートなどの資料が置かれ、中央のデスクに座る課長の背後にはホワイトボード。そこに〝今月絶対売らないといけない商品〟の残り金額と目標収益額、投資信託の純増販売額などが課員ごとに記されている。課員達の営業成績がリアルタイムで一目瞭然というわけだ。

「あ、義田さん。すみませんが上の階まで来ていただけます？」

「え？　はい」

嫌な奴からの呼び出しだ。

この青白くて背の低い神経質そうな男は、三階の総務で働く細田（ほそだ）という。一口に総務と言っても業界や企業によって業務内容は異なるが、うちの会社の支店総務は、専ら営業マンのコンプライアンスチェックを担う。

昔ほどではないが、証券営業の強引さはたびたび問題になっているし、金融庁も規制を強めている。そんなわけで、営業が取引ルールをちゃんと守っているのか総務が目を光らせているというわけだ。具体的には、俺たちと顧客の電話内容を聞いたり、取引履歴を見たり、営業報告書を読んだり……という感じである。

うちの会社に総合職で就職した者の多くは支店営業に配属されるが、業務の中で「営業適性無し」と評価された者たちは、本人の希望とは関係なく内勤に異動させられる傾向がある。

支店総務もそういった異動先のひとつで、この細田も入社当初は野心に燃えていたようだが、営業結果が振るわず現在は総務で働いている。だが、人間というものは、置かれた環境で野心を燃やそうとするものらしい。細田も例外ではなく、営業から外された今は総務という環境の中で実績を作ろうと努力しているようだ。つまり、毎日熱心に営業の取引内容をチェックし、重箱の隅を突（つつ）きまくる迷惑極まりないモンスターとなってしまった。当然、営業からは蛇蝎（だかつ）の如（ごと）く嫌われている。それどころか、総務課長ですら細田を持て余しているようだ。

「義田さん、お客さんの中に渡辺幸恵さんっているでしょう。その取引過程についてお伺いしたいのですが」

三階にある自分のデスクに戻った細田は、カルティエのスクエア型眼鏡を指で上げ、パソコン画面の顧客履歴を見せてきた。フレームの色はシルバー。いかにもインテリと見られたい人間がかけそうなデザインの眼鏡だ。

「渡辺さんが、なんですか？」

「先月、渡辺さんから注文が入っていますよね。投資信託」

「あー、あれですか。あれは私もびっくりしましたよ。まさかあっちから注文が入るなんて」

「……渡辺さんに投資信託の提案をしていませんか？」

「え？　そんなこと渡辺さんの顧客履歴に書いてありました？」

「いえ、書いてはありませんでしたが……」

「ですよね。じゃあ提案なんてしてないですよ。あっちが勝手に注文してきたんです」

細田は眼鏡を光らせた。

「義田さんが裏で提案しておいて、顧客履歴にはその事実を書かなかったんじゃないですか？」

「はい？　なんのために？」

俺が意外そうに訊き返すと、細田はムッと眉をひそめた。

「とぼけないでください。渡辺さんは高齢者でしょう。原則として高齢者には証券会社側からリスク商品の提案ができません。ですが顧客の希望で注文してきたのであれば受注できる。顧客に裏で投資信託の提案をして、提案した事実は顧客履歴に残さず、顧客側から注文するように指示していたんじゃないんですか？　だとしたらこれは重大なコンプラ違反ですよ！」

細田は憶測と偏見に基づき俺の過去取引をあげつらうが、実際のところ俺が黒か黒寄りのグレーな取引をしているのは事実だ。ただし、証拠となるようなものは何も残していないが。

そもそも俺がそういった取引をしていることは、課長や支店長も気づいているはずだ。俺ひとりで稼ぐ収益が支店収益の二、三割を占めているものだから、支店の成績を落とさないために気づかないフリをしているだけで。

細田よ、空気を読め。支店成績の要となっている俺の過去取引をつついて、いいことなんてひとつもないと思わないか。

俺は大仰にため息をついた。

「……細田さん、それ証拠があって言ってます？　憶測で言ってるならハラスメントですよね。やってもいない不正行為の疑いをかけるなんて、ひどいじゃないですか。そんなに疑うなら渡辺さんに直接、電話して訊いてみたらどうです？」

「それもどうせ対策済みなんでしょう？　あなたが証拠を残すはずがない」

だったら訊くな。そういうところだぞ、細田。

「何の対策ですか。証拠は全部残していますよ。私と顧客とのやり取りは顧客履歴に書いていますし、書類を郵送した証拠や電話記録も残っているでしょ？　それが全てです」

「義田さん。あなた業界何年目でしたっけ？　十一年くらいですか。証券業界はいつまでも昔のままじゃないんですよ。そりゃ昔はコンプライアンス意識の欠片もない取引が横行していましたけどね。時代は変わったんです。高齢者への勧誘や短期売買も原則禁じられているんです。いつまで昔の証券業界の感覚で仕事しているんです？」

「ですから、私の取引に何か問題があるなら憶測ではなく証拠を持ってきてくださいよ。仕事熱心なのはいいことだと思いますが、邪推が過ぎると営業側も仕事がやりにくくなりますよ」

そこへ、背後から「義田！」と声がかかる。課長の上村だ。

「ちょっといいか！」

俺は視線でそちらを示した。

「呼ばれたんで、行っていいですかね？」

「……ええ、どうぞ」

じっとりと睨んでくる細田に、俺も言い置く。

「細田さん、私の取引のことを指摘したいなら、ちゃんと調べた上でお願いしますね。こっちは毎日収益を稼ぐのに忙しいんですから」

「それで、今日はどうだった？」

俺を連れて二階に戻り、自分の席に座った課長の上村が、やや申し訳なさそうに営業成果を聞いてきた。

「そうですね。金井様のお宅に伺って、おそらく新発米ドル債がまとまった額売れるかと」

「本当か⁉　いくらになる？」

「そこまでは……。あとで金井様から電話が来ると思います」

「そ、そうか。いや、よくやってくれた」

改めてホワイトボードを見ると、新発米ドル債の売れ残りが課全体で三十八万米ドルあった。今のドル円レートだと四四〇〇万円ほどだ。販売期限まであと一週間といったところだし、他にも〝売らなければいけない商品〟が大量にあるものだから、課長も気が気じゃないだろう。

〝売らなければいけない商品〟とは、証券会社が企業から引き受けてきた債券や株式、投資信託のことだ。現在市場に流通しているものではなく、企業側が新たに発行、売り出し、設定した有価証券である。通称「引受・募集物」といい、こういった商品は、証券会社が全額責任を持って販売しないといけないノルマとなるため、たびたび営業現場を苦しめる。

とはいえ、FA職の俺はかなりマシなほうだ。商品の売買収益と給与が連動し、半ば個人事業主のような働き方をしているFA職は、会社側から付与されるノルマが少ない。課のノルマに重い責任を負っているのは主に総合職の連中である。

課長が俺に対して申し訳なさそうに営業成果を訊いてきたのも、俺自身は既に今月分のノルマを達成しており、これ以上販売する責任がないからだ。

「義田さん、金井様からお電話きてます。一二八です」

同僚から内線番号を告げられて、自分のデスクに戻った俺はパーク保留に出る。

「お電話代わりました。営業部第一課の義田です」

『ああ、義田君か。金井です』

早速きた。

「金井様、先ほどはお世話になりました」

『いやいや。それでね、さっき提案してもらった米ドル建て社債なんだけど。銀行の担当にも訊いてみたんだが、米ドル定期預金よりも条件がいいね。それで、定期を解約してそちらに米ドルを送金しようと思う。さっきの債券を買えるかね』

「ありがとうございます。しかし……それは銀行側にもかなり止められたのではないですか?」

『ははは、まぁ担当者は渋っていたけどね。しかし私の金なのだから、私の思いどおりにいかないのはおかしいだろう?』

「ええ、仰るとおりです」

俺は努めて神妙な声で同意する。

『それで、とりあえず四十万米ドル分いただけるかな』

「ＴＦ社の米ドル債、四十万米ドルでございますね。……少々お待ちください。残額を確認いたします」

ややや大きな声で「四十万米ドル」と言いながら課長の上村に目配せをすると、上村はすぐさま隣の二課の課長と話し合いを始めた。

一課が負っている米ドル債のノルマは三十八万米ドル。四十万米ドルを販売するために、二課の課長から米ドル債のノルマを二万米ドル分けてもらおうとしているのだろう。同じくノルマで苦しむ二課の課長がそれを拒否するはずもなく、課長同士の話し合いはすぐに終わる。

上村はこちらに向かって笑顔で勢いよく三度腕を上げ、ＯＫサインを出してきた。

「お待たせいたしました。四十万米ドルのご購入を承りました。では、事務的な確認となりますが、まず目論見書はご覧いただいておりますでしょうか」

さっきまで必死に米ドル債の販売電話をかけていた課員たちは手を止め、俺の注文確認を聞きながら息をついた。これでノルマ終了である。

「はい、ＴＦ社の米ドル債終了！　みんな、義田に感謝しよう。次は新発の日本株投信、残り八五〇〇万円！　できる限り純増で頑張ろう！」

血色の良くなった上村が課を鼓舞する。課員たちは束の間（つかのま）の休息から目覚め、受話器を取り営業を再開した。ノルマが終わったら次のノルマへ。これが証券会社の日常的な光景である。

ちなみに俺は、さっきの金井のような生まれ持っての金持ちも嫌いだが、この帝日証券で働いている連中も八割方は好きになれない。

帝日証券は業界大手だ。総合職にはそれなりの大学を出ている人間が多く、俺の過去取引を論(あげつら)ってきた細田は東京の有名私立大学、課長の上村は地方の有名国立大学を出ている。課の同僚も大体似たような水準の大学出身者だ。

帝日証券は高給だ。有価証券報告書で公開されている平均年間給与は三十九歳で九五八万円。しかしそれは地域職まで含めた平均で、総合職に限定すれば、二十代後半から三十代前半で年収一千万円程度になる。成績上位のセールスならその一・五倍から二倍は稼ぐ。支店長級ならまず二千万円を下回ることはない。過酷でも辞めないわけだ。

労働者としてはなかなかの金額を稼ぐ連中だが、それは全て自身の実力だろうか。――否(いな)。こいつらは、生まれてから社会に出るまでに親から多額の投資を受けた。経済的にも文化的にも恵まれ、良い教育を受け、良い学校に進学し、良い就職をし、高給を得たところで、こいつらの何が偉いというのだろう。

心底腹が立つのは、自分で稼いだわけでもない経済的資本と、自分が醸成したわけでもない文化的資本を注ぎ込まれて育てられた者が、自分の成功を全て実力だと思い込んでいるところだ。こいつらが賢(さか)しらに喋(しゃべ)る横文字の金融用語を聞くたびに、ひどく恥ずかしくなる。

よくもまあ、他人の力で成り上がった人間がここまで賢そうに振舞えるものだ。

「投資信託は純増だよ純増！　乗り換えじゃなくて、純増販売を頼むよ！」

大声をあげる上村は、本社からジョブローテーションで支店に来た男だ。ここで課長として成果を上げたら、また本社部門に戻って人事部か営業企画部あたりに行くに違いない。

エリートに支店を経験させておくのは、うちの会社の典型的な出世ルートだ。支店は全国に百以上、営業課は五百以上あり、上村の成績も全国の課長たちと常に比較されている。ここで成果を出さなければ出世ルートから外れるかもしれないので、上村も出世レースに必死なのだ。

この感じだと今日もこいつらは残業なのだろうが、俺まで付き合う義理はない。ＦＡ職に残業代はほとんどつかないのだから。

「課長、私はもうよろしいでしょうか」

「あ、はいはい！　義田、ほんとありがとね！　ほんとに助かった！」

「先輩！　お疲れ様です！」

「シモ、お疲れ」

身支度を調えて出ようとする俺の背後で、ひそひそと話す声が聞こえた。

「下柳、義田さんとよく普通に話せるな」

「え？　変ですか？」

「いや……あの人、あんま他人と絡まないからな。飲み会も付き合い以外で来ないし」

「でも話してみると、結構いい人っすけどねぇ」

勝手なことを言っているものだ。

会社を出て、駅へ向かって歩いていると、下柳が駆けてきた。

「義田先輩ー！　待ってくださいよー！」

「……なんだシモ。お前もあがりか」

俺は足を止める。下柳は薄暗闇の中、歯並びの悪い口を開けて「はい！」と朗らかに笑った。

「一年目が残業してもやることがないと課長に言われました！　先輩、どっか飯連れてってくださいよ！」

「駅前の安居酒屋ならいいぞ」

「はい！　どこでもいいっす！」

昔の……それこそバブル時代の証券業界といえば、仕事終わりに酒を飲んでカラオケ、さらに女のいる店からのラーメンで〆（しめ）ていたものらしいが、今は随分と時代が変わった。大企業にコンプライアンス意識が強く求められるようになり、ハラスメントの温床になりやすい酒席はリスクでしかない。時代の変化についていけない一部の昔気質（むかしかたぎ）な証券マンを除けば、大人しいものだ。

ちなみに、うちの会社は十年ほど前に「二次会禁止令」なるものが発布されている。一次会までは付き合い、二次会以降は許さないと会社が言っているわけだ。こんなものが本部から発布される会社が他にあるだろうか。昔はどれほど酷かったのか想像できる。まあ、未だあの手この手で二次会を催している奴らもいるらしいが。

「先輩、聞いてます？　新規開拓のやり方ですよ、やり方！」

居酒屋の喧噪で、俺は我に返る。

下柳は一杯目に頼んだカシスオレンジを飲み干してそう言った。最近の若手社員は一杯目に生ビールを頼まないが、それも時代の変化だろう。

「だから言っただろ。金持ち探して、当たるだけだ」

「でもお金持ちって、会ってくれなそうじゃないっすか」

下柳は口をとがらせる。特に可愛くはない。

「じゃあ貧乏人は、ほいほい会ってくれるか？」

「……言われてみれば、そんなこともないっすね」

「俺たち証券マンは大抵の奴らにとって胡散臭くて鬱陶しい存在なんだから、金持ちだろうが貧乏人だろうが喜んで会ってくれる奴はそういない。それなら、一回あたりの取引額が大きい金持ちを重点的に狙ったほうが効率がいいだろ。大して金持ってない連中を開拓しても、事務的な手間が増えるだけだ。そういう小規模客はネット証券に任せとけばいいんだよ」

「うーん。そりゃリテラシーある人は自力でネット証券使うんでしょうけど……でも『貯蓄から投資へ』って国が言ってるわけじゃないっすか。それを促進するのが、対面営業してる店舗証券の社会的役割でしょ？　あまりお金持ってなくてリテラシーない人にも、投資のメリットを伝えていきたいんですよねー僕」

「日本人の個人金融資産に占める、現金・預金の割合知ってるか」

「はい。約五〇％です」

「そう。日銀や金融庁がよくそういったデータを出している。それに対して、アメリカ人の金融資産に占める現金・預金の割合は一二から一三％程度。日本人に比べ現金・預金比率が低く、株式や投資信託を多く保有しているアメリカ人は、投資に積極的ってことだな」

「日本人の個人預金は一千兆円以上ありますもんね。さすがにみんな貯め込みすぎですから、アメリカ人を見習って投資しないと、インフレで目減りしちゃいますよ。国が『貯蓄から投資へ』と言って投資への参加を呼びかけてるのも、要するにそういうことでしょ？」

「まぁそうなんだが、変な話だと思わないか」

「え？」

「預金は生活のために必要な蓄えでもあって、必ずしも投資余力じゃないだろう。確かに日本全体では一千兆円の個人預金があるんだろうが、そのうちどれだけが投資に回せる金なんだか」

「い、いやでも、一千兆円っすよ？　いくらなんでも貯め込みすぎじゃ……」

「だから、その内訳だよ。金持ちと貧乏人の預金がどっちも含まれているわけだろ。前者は投資をする余裕があるだろうさ。しかし後者はどうだ。生活費の支払いで精一杯。投資に金を回してる場合じゃない」

下柳の顔に戸惑いの表情が浮かぶ。酒の勢いで俺は続けた。

「それなのに国は、まるで一千兆円の預金がまるまる投資余力かのような言いぶりじゃないか。そのうちどれだけが生活やライフイベントに必要な蓄えなのか、政治家や官僚みたいな生まれたときから生活で苦労したことがない上流階級の連中は、具体的にイメージできていないんじゃないのか。俺たち証券会社がターゲットにすべきなのは〝一千兆円の個人預金〟なんかじゃない。〝ごく一部の金持ちが貯め込んでいる銀行預金〟だ。金持ちの銀行預金を開拓しまくって、その金を直接金融市場に流して金を回し、間接的に国民を豊かにする。それが俺たちの社会的役割というものだろ」

口の中の焼き鳥を咀嚼（そしゃく）しながら下柳が頷く。

「言われてみたらそうですね。僕ん家（ち）も全然投資する余裕なかったもんなぁ」

「今は就活の会社説明会なんかでも、多額の個人預金を投資へ……みたいなこと言ってるらしいな、証券業界」

「ええ、まぁ。僕もかなりそれに影響受けたクチでして」

下柳は素直に認める。俺は吐き捨てるように言った。

「証券マンは預金腐らせてる金持ちだけ相手にしてりゃいいんだよ。一千兆円の個人預金なんて言い方するから、その本質を見誤る奴らが出てくる」

「……義田先輩って、意外と仕事に真面目っすよね」

意外と、は余計だ下柳。

「証券会社に就職しといて、社会的役割とか意義とかいう言葉を遣う奴はそんないないからな。シモ、もし金融リテラシーのない連中に何か教えたいんだとしたら、それやるのは証券会社じゃないぞ。実務経験を積んだら、将来金融教室なり何なり開くといい」

「あ！　いいっすねぇそれ！　ナイスアイディアです！」

下柳は呑気な笑顔でそう言った。こいつは名前も聞いたことがない地方私立大学の出身で、よくうちみたいな会社に総合職で就職できたものだと思っていたが、なるほど人事の目も節穴ではない。顔や喋り方に似合わずよく勉強しているし、性格も、鼻持ちならない証券マンの中においては清涼剤のようだ。

「そういや駄菓子屋の婆ちゃん、最近投資始めたらしいっすよ」

「そんな金あんのか、あの人」

「うーん、分かんないっすけど。孫の教育費を稼ぎたいとか言ってましたよ。小口でやってるんじゃないっすかね」

「……どこの会社で？」

ふと気になって訊いてみたが、下柳は「いやー、そこまでは」と頭を振った。

第3話

親ガチャ当てただけでイキがるな

「うーん、でもねぇ、私も年金生活で一杯一杯だからねぇ。これ以上お金は出せないのよぉ」

「お婆ちゃん、それはもったいないよ。だって先月振り込まれた配当金、見たでしょ？　あんなにたくさん入ってくるんだから、もっと投資した方がいいよ」

スーツ姿の若い男は、かれこれ一時間ほど熱心に投資勧誘をしている。相手は寺川駅の北側でひっそりと駄菓子屋を営む老婆だ。

「それはねぇ、そうなんだけどねぇ……」

若者の熱心さに対し、老婆は困った声でそう返す。彼女は先月この男から「絶対安全な高配当投資」なるものを勧められ、あまりの熱心さに負けて購入した。確かに銀行預金の利息よりも遥かに高い配当金が入ってくるし、男の説明どおりの商品ではあった。

「お婆ちゃんがこうやって賢く投資で稼げば、お孫さんも良い学校通わせてあげられるって」

「そうねぇ……」

追加投資に後ろ向きだった老婆も、「孫のため」という理由を作られてしまうと途端に弱くなる。老婆は、追加投資の算段をし始めた。


寺川市の隣、座川市の駅近くにある老朽化マンションの四階。ドアに社名も書かれていない四〇八号室で男たちは働いていた。

部屋は2LDK。二つの部屋とリビングがオフィスのように改装されており、それぞれの部屋に六台ずつデスクと固定電話が並んでいる。そこで男たちは紙のリストに書かれた電話番号にひたすら電話をかけ続けていた。

「あ！　井上様でお間違いないでしょうか？　お忙しいところ恐れ入ります。私〝金融庁公認〟の資産運用会社『JOSYO　アセットマネジメント』の北島と申します。本日は〝絶対安全〟な〝高配当〟投資を〝特別に〟ご提案させていただくため、お電話いたしました！」

勧誘トークは完全にマニュアル化されている。男たちはリストに載った番号に電話をかけ、マニュアルどおりのトークをし、少しでも反応のあった客のもとに訪問し、営業をかけるよう命じられている。男たちの年齢はまちまちで、下は十代後半、上は三十代半ばまで。タイトなスーツで身を包む彼らは、一見ただのサラリーマンのようでもある。

「戻りましたー！」

若い男がオフィスに帰ってくると、中央のデスクに座る男が成果報告を求め手招きをする。

「三田さん失礼します！　報告いたします！」

「うん。どうだった？　駄菓子屋の婆さん」

「はい！　追加で十万円いただきました！」

「は？　十万……？」

金額を聞いて眉間に皺を寄せる三田に、若い男は慌てて弁明した。

「あ、いや、あの婆さんもう金ないらしくて」

「半田ぁ……」

剣呑な表情の三田に名前を呼ばれ、男——半田はビクリと身体を震わせた。

「いや、俺はいいんだよ？　別に十万円でも。だけどさ、お前はいいの？」

三田は眉間の皺を指先で軽くほぐしながら、穏やかな声でそう聞いた。

「俺たちがやってるのは〝社会貢献活動〟でしょ？　十万円程度で社会貢献になる？」

「な、ならないです！」

「そうだよね？　半田、日本人の貯蓄額は？」

「い、一千兆円です！」

　直立したまま半田は答える。さんざん叩き込まれてきたことだ。

「そうだよね？　そのほとんどは誰が貯め込んでるの？」

「ろ、老人です！」

「そうだよね？　じゃあ日本の景気が悪いのは誰のせい？」

「金を貯め込んでいる老人です！」

「そうだよね？　じゃあ、俺たちは何をしたらいいの？」

「とにかく老人に金を吐き出させて、自分たちがリッチになって、贅沢三昧して日本社会に金を落として経済回すことです！」

　そこで、ふう、と三田は息を吐いた。

「十万ぽっちじゃお前はリッチになれないよ？　リッチになれなきゃ贅沢できない。贅沢できなきゃ日本経済を回せない。それじゃ日本は良くならない。日本社会の癌になってる老人からもっと金を搾り取らないと」

「し、しかし、あの婆さんはもう金が……」

　三田は、ははは、と軽やかに笑った。

「ないない言っといて、実は貯め込んでるのが老人だよ。絶対にまだ搾り取れるから。——半田、今は色々大変だろうけど頑張ろうぜ、社会のためにさ。俺はお前に期待してるんだ」

「み、三田さん……」

「俺たち……〝兄弟〟だろ？」

これが三田の殺し文句だ。半田は「俺、頑張ります！」と目を潤ませている。

「じゃあデスクに戻って良し。電話セールス再開だ」

そこで三田は立ち上がり、男たちがひしめく室内を見回した。

「みんな！　明日は〝投資セミナー〟の日だぞ！　客に電話でリマインドしとけ！　あいつら忘れっぽいからな！」

はい、と異口同音に声が上がった。

＊　＊　＊

「村田様。息子さんの合格おめでとうございます。発表は先月でしたか」

俺はいつものように笑顔を貼りつけてそう伝えた。

「ありがとうございます。一月に合格をいただきまして」

「地元の名門中高一貫校ですよね。息子さんの将来が楽しみです」

「いえいえ。息子が『勉強したい』なんて言うものですから、その手伝いをしただけなんです。

あくまで息子の主体的な努力の成果なので。あと、運も良かったのだと思います」

心にもないであろう謙遜をするこのおばさんが、今日の俺のアポイント先だ。

この村田というおばさんの旦那は、有名私立K大学の系列小学校からエスカレーター式で中学、高校、大学まで通い、新卒で大手広告代理店に入社、現在は役員を務めている。その広告代理店が公開する有価証券報告書で役員報酬を確認したところ、対象者七名に総額約七億四千万円が支払われていた。平均すればひとりあたり一億円以上貰(もら)っている計算だ。

エリートの旦那は忙しく、家のことには干渉しないようで、子供の教育や資産運用を妻であるこのおばさんに全て任せている。彼女は特に教育に熱心で、幼少期から息子を有名学習塾に通わせ、先日中学受験にも成功させた。そう、成功〝した〟のではなく〝させた〟のだ。

誰かも言っていたが、子供の受験結果は、父親の経済力と母親の狂気の賜物(たまもの)である。

このおばさんは「息子の運が良かった」と言ったが、それは間違いない。金持ちで教育意識の高い〝アタリ親〟のもとに生まれた結果だ。夫婦は共にいい大学の出身だ。となれば、息子も高学歴の道を突き進む可能性が高いだろう。

「社会階層と社会移動に関する全国調査（略称ＳＳＭ）」によれば、親の学歴と子の学歴には相関関係が見られる。平たく言えば、親が大卒であれば子も大卒になりやすく、親が非大卒であれば子も非大卒になりやすいということだ。

ＳＳＭとは一九五五年から始まった日本の大規模社会調査である。組織は社会学者を中心に構成され、社会階層と社会移動の研究を目的として十年に一度実施されている。最新の二〇一五年の調査では、日本国籍を持つ二十～七十九歳の男女が無作為に選ばれ、職業や学歴、収入、居住地、家族、教育などに関する考え方、といった項目が調査された。

　多くの社会学者がこのデータを用いて論文や書籍を書いているが、調査結果はそれなりに絶望的だ。少なくとも俺はそう感じた。親の学歴や居住地、教育方針、習い事の有無が、子供の学力や学歴に明らかに影響していることが数字で分かるのだから。

　日本社会において、学歴の獲得は高待遇な職業の獲得に直結する。求人情報で公開された範囲でも「大卒」と「非大卒」で応募できる職業に大きな差がある。明文化されてはいないが、実質的に一部の高学歴しか採用しない企業もある。いわゆる学歴フィルターというものだ。

　たまたま学歴の獲得に優位な家庭で生まれ育った人間が高学歴となり、高待遇な職を得る。その格差再生産の流れを間近で見せつけられるのが、客のライフプランニングを担う証券マンだ。客の人生に深く入り込むほど、〇歳時から始まる教育格差の存在に絶望させられる。

「これからも息子さんの教育費、かかるでしょうね……」

　俺の言葉に、あまり大変でもなさそうにおばさんは答える。

「そうですねぇ。引き続き塾には通わせるつもりですし、習い事もありますので」

　言いながら、リビングのグランドピアノに視線を向けた。

　文化資本という概念を提唱したのは、フランスの社会学者ピエール・ブルデューだ。そのブルデュー曰く、家庭にあるピアノや蔵書数は客体化された文化資本だという。社会で成功する上で有利となる経済資本以外の資本、それが文化資本で、おおよそ次の三つに分けられる。

一、言葉遣いや立ち居振る舞い、趣味、感性などの「身体化された文化資本」
二、蔵書や楽器、美術品などの「客体化された文化資本」
三、学歴や資格などの「制度化された文化資本」

現金や有価証券、不動産などといった経済資本の継承は「格差の再生産」と指摘される一方、文化資本の継承は軽く見られがちだ。しかし、これらの有無も社会的成功に影響するし、親から子に継承されるものだ。少し考えれば、これらが子供のコミュニケーション能力や習慣、芸術への造詣やセンスに影響を与えるであろうことは想像に難くない。偏差値の向上のみに傾倒してきた高学歴人材の中には、コミュニケーション能力が絶望的に低い者もいる。そういった人間はしばしば就職活動で淘汰され成功ルートから外れるが、豊かな文化資本を持つ家庭で育った高学歴人材は、そうはなりにくい。むしろ対人コミュニケーションこそが彼らの本領であろう。

ブルデューは田舎から都会の学校に入り、上流階級との格差を目の当たりにした人間だ。出自の悪い彼が社会階級というものに強い関心を持ち、研究したのは必然ともいえる。

「お子様の教育費もそうですが、これまで以上にインフレ対策が必要な世の中になりました。すでに企業物価指数は高まっていますが、比べて消費者物価指数の高まりはなだらかです。しかしコスト増に耐えかねた企業はいずれ製品やサービスを値上げするでしょう。そういった社会情勢においては、資産を銀行預金にしておくだけでは目減りします。つまり資産家ほどインフレ対策のために投資が必要なのです。将来息子さんに資産を継承されるご予定でしたら、より一層……」

「でも、あまりリスクの高いものは……」

現在は専業主婦の村田夫人は、神妙に頷きつつも腰が引けている。

「ええ、株式や株式投資信託といった浮き沈みの激しいものは不安でしょう。……そこで私からお勧めしたいのは、こちらの日経平均株価連動債です。年利三％で運用できる債券ですよ」

「え、三％ですか。それはいいですね」

曲がりなりにも高学歴のおばさんだ。こちらの言葉が理解できないほどの馬鹿ではない。

「株式などと比べリスクが低く、安定的に運用可能ですが……内包リスクとして、日経平均株価が購入時より二五％下がったら、元本が毀損する可能性も考えられます。まぁ、よほどのことがなければ、そんなことは起きませんけれども。私も立場上、ここで〝絶対安心〟をお約束することはできないのですけれど、リスク発動の可能性はきわめて低いと考えます」

「義田さんがそう仰るなら、そちらをいただきましょうかね。銀行にお金を置いておくよりも、ずっと良いと思いますので」

「ありがとうございます。それでは、目論見書の内容をこの場で説明いたします」

俺は「リスクが低い」と言ったが、大嘘（おおうそ）である。この日経平均株価連動債は、むしろリスク性の高い商品。かつてリーマンショックのときには多くの投資家に損失を与えている。この商品の満期は五年。満期までの間、日経平均株価が二五％以上下落しなければ高い金利を受け取り続けられるが、市場の波はそれほど穏やかではない。コロナショックでも日経平均株価が二万三千円台から一万六千円台まで落ちた。いざとなれば株価はその程度平気で動く。

俺は目論見書でリスクを説明するが、どうせ客はこちらの話の二五％も理解できてはいない。「なまじ学歴があるから上っ面の情報で理解した気になるが、実は金融リテラシーに乏しい金持ち」というのは珍しくないので、こうして証券マンのカモにされてしまうわけだ。

しかし今、俺はちゃんとリスクを説明した。その上で商品を購入するのだから、あとは客の自己責任というものだろう。

でもいいじゃないか。あんたは経済的にも文化的にも恵まれているのだから。もしこの日経平均株価連動債がゴミのような価値になったとしても人生が終わるわけじゃない。手塩にかけて育てている息子だって、どうせ将来、金を稼ぐだろう。

じゃあ、いいじゃないか。その豊かさの一部を、市場に流してくれても。

商談を終えた帰り道、教育的に正しい町を眺めながら、つらつらと考える。

もし仮に、様々な統計や研究結果を根拠に「お前の親の教育は間違っている」と誰かに指摘されたとして、親の教育の誤りに気づいた本人が「よし、自分の子供には正しい教育をしよう」と前向きに考えられるだろうか。俺は九割方そうはならないと思う。

大半の連中は「それなら子供なんぞ持たない」といった方向に思考を進めるだろう。俺だってそのひとりだ。奴らが行う教育の効果は否定できないが、一方で俺は俺の歴史を否定できない。奴らから言わせれば放任的に育てられた俺は、子供を計画的に教育するという発想それ自体に抵抗がある。

テレビドラマは計画的教育が失敗に終わる様子をたびたび見せてくれるが、現実は不愉快だ。むしろ、教育失敗者を生み出す可能性が高いのは、俺の受けた放任教育のほうであることがSSMのデータからも読み解ける。そりゃそうだ。子供を放任した先の姿は、飴玉を無限に欲しがる欲望と怠惰の化身だろう。それを理解する親は、子の成長に適切な介入をする。さっきの客のように。理屈は分かるが、やはり俺は俺の歴史を否定できない。

『金融庁公認と名乗る投資詐欺が頻発しています。市民の皆様、詐欺被害にご注意ください。不審な電話がかかってきたら、すぐに最寄りの警察署、または詐欺相談専用ダイヤルまでご相談ください。金融庁公認と名乗る投資詐欺が——』

投資詐欺への注意を呼びかけるパトカーとすれ違った。この町も老人は多い。標的にされてもおかしくはない。

……ん？　もしかして、投資詐欺業者と証券会社は競合関係にあるのではないか。どうせ騙（だま）されて金を吐き出すなら、その先は金融市場にしてもらいたいものだ。

俺はしばらく歩いて、いつもの駄菓子屋の軒下にあるベンチに座った。

「はい、チューペット。でも、この時季に外でアイスなんて寒くないの？」

店主の婆さんは筒状のアイスキャンディを俺に手渡しながら、呑気な顔で話しかけてくる。

「だいぶ歩いたから大丈夫」

「あんたって、なんの仕事してるんだっけ？」

「んー、ただの営業だよ」

チューペットを半分に割り、まず先に短い方を口にくわえて俺はそう答えた。こうやって安い駄菓子やアイスを食べていると落ち着く。毎日金持ちを相手にしているから、こうして釣り合いを取らないと頭がおかしくなりそうだ。

「そういや、ちょっと知り合いから聞いたんだけど、婆さん、投資みたいなの始めたって？」

先日、後輩の下柳から聞いた件について、口にしてみる。

「あー……ええ、熱心な若い子がねぇ、いいって勧めるものだから、孫の教育費の足しになるかと思って、少しだけ。こないだ配当金が入ってきてねぇ。銀行預金よりも全然儲かるのよ」

「ふーん……なんて名前の会社？」

「えっと、なんていったっけ」

　そう言いながら婆さんは、店頭の引き出しを探し始めた。

「ああ……これこれ」

　嫌な予感が的中した。婆さんが持ってきた資料には「絶対安全」「高配当」「金融庁公認」という太文字が躍っていた。この時点で金融商品取引法に違反している。まともな業者ではない。

「ＪＯＳＹＯアセットマネジメントっていうんだね」

「そうそう、ジョーショー、ここの若い人が熱心なのよ」

　俺はスマホを取り出し、金融庁のウェブサイトにアクセスした。金融商品を取り扱う業者は金融庁に届け出をして登録を受けなければならない。登録済みの金融商品取引業者ならば、金融庁のウェブサイト「免許・許可・登録等を受けている業者一覧」に社名が掲載されている。ここに社名が掲載されていないにもかかわらず金融商品の販売を行う業者のことを「無登録業者」といい、金商法違反となる。

　案の定、サイトにそんな社名はない。ということは……婆さん、十中八九詐欺だよその業者。

「その若い人ってさ、日本人だった？」

「え？　そうだけど……」

　外国人の集団じゃないとするなら、国内の半グレ連中だろうか。

投資詐欺件数は近年、爆発的に増えている。確か、令和元年に金融庁が受け付けた投資詐欺の相談件数は三百件程度だったが、その翌年は件数が六倍強に増加し、今はそれをさらに上回るペースで増加していたはずだ。投資詐欺に引っかかって警察に通報する者も多いが、警察はそう簡単には動いてくれないし、金は戻ってこない可能性の方が高いだろう。

婆さん……孫のためとはいえ、なんであんたが……大した資金もないだろうに。

「どうしたんだい？　怖い顔して」

「いや、なんでもないよ。ところで、実は俺もちょっと投資に興味あるんだよ。少しだけその資料貸してもらえる？」

いいけど……と言いながら、婆さんは心配そうに俺の顔を覗き込む。

「あんた、あんまり投資とかにのめり込んじゃダメだよ？」

「あのさ、婆さんも生活費切り崩してまで投資なんてすんなよ。あ、婆さんの担当者、なんて名前？　俺もその人の世話になろうかな」

「えっと……たしか半田さんって人だけど」

「ＪＯＳＹＯアセットマネジメントの半田さんね」

明日の訪問先は決まった。アポイントはないが。

第4話

ハイブランドって育ちの悪さが際立つよな

寺川市の隣、座川市の駅近く。婆さんから借りた資料に載っていた住所はここだ。

「……やっぱりバーチャルオフィスか」

バーチャルオフィスは、その名のとおり仮想オフィスサービスのこと。オフィスとしては利用できないが、会社登記などに必要な住所、郵便ポストを借りられるサービスだ。月額数千円程度で法人住所を獲得することができるため、小規模企業はよくこのサービスを利用する。会員審査はザルだから、怪しい業者が登記用住所を借りていることも珍しくない。

「バーチャルオフィス会員用のポストは……これか」

物件の周囲をあれこれ見回る俺の姿は不審だろうが、証券マンなので問題ない。もし管理人のような人間に声をかけられたら、名刺を差し出し「営業先を探していて……」とでも言っておけば、鬱陶しがられるだけで済む。

二十分ほど物件を見て回ったが、業者に繋がりそうなものは発見できなかった。一応国税庁のウェブサイトでも「ＪＯＳＹＯアセットマネジメント」と検索してみたが、やはり登記住所はここだ。実務はどこか別の場所でコソコソと行っているのだろう。寺川市に住む老人相手に投資詐欺を働いているのだから、実務用の場所もそう遠くはないはずだが……。詐欺業者がオフィスのドアに看板を掲げているわけもないし、場所を突き止めるのは困難だろう。ましてや婆さんの金を取り返すのは難しいだろうが。

ジャ、ジャ、と地面を擦るような足音が近づいてきたので、俺は何食わぬ顔で一旦物件の外に出た。すれ違った若い男はバーチャルオフィス会員用のポストを開け、中身を確認している。歳（とし）は二十代前半、もしかすると十代後半かもしれない。ハイブランドのスーツとビジネスシューズ、腕に巻いているのは……まさかブレゲか？　耳にはピアス痕。髪型は短髪だが黒染めで、最近まで別の色だったようだ。しかし高級靴を履いている奴が、踵（かかと）のすり減りをあそこまで放置するものだろうか。身嗜（みだしな）みとブランドが釣り合っておらず、「ただ高い物を身につけているだけ」という印象だ。

男はポストの中身を鞄（かばん）に入れて外を歩き出した。歩き方に妙な癖があって、背は猫のように丸く、首を前に出した前傾姿勢。だるそうなガニ股歩きで、靴の踵は地面に擦れ「ジャ、ジャ」という音を出している。いかにも、私生活では靴の踵を踏みながら歩いていますという感じだ。俺の記憶の範囲で言わせてもらえば、ハイブランドで身を包んだ人間はあんな歩き方をしない。見ていて思い出すのは、俺が以前アルバイトで働いていた倉庫や工場だ。あそこで働いていた連中の中に、あんな歩き方をする奴がいた。

別にそういう歩き方をしている奴が悪いわけじゃない。矯正しなかった親が悪いのだ。

なんとなく、俺はこの怪しい男を尾けることにした。

座川駅周辺は嫌いじゃない。駅南口の高架下にある駐輪場付近は小便臭いし、商業ビルは雑多で、いかがわしい店やパチンコ屋、場外馬券場のような施設もある。隣の寺川市とは正反対のようなこの町のアバウトさが、むしろ落ち着くのだ。

そう言えば何年か前に、ある動画サイトで過激なことばかりやっていた人気配信者が、この座川市の市議会議員に当選していたっけ。市民がそれについてどう思っているか知らないが、良くも悪くも、それがこの地域の〝らしさ〟だと俺は思う。

怪しい男の後を追い十分ほど歩くと、男はマンションに入っていった。かなり古い物件で、オートロックもない。マンションの入り口からすぐの所でエレベーターを待つ男を、外からスマホいじりするフリをして監視する。昨今は位置情報を利用したスマホゲームがたくさんあるので、外で突っ立ってスマホいじりをしていても風景の一部だ。尾行するのに都合のいい時代である。この建物は外廊下なので、男が何階のどの部屋に入っていくのか丸見えだ。

男は四階の一室に入っていった。俺も遅れて部屋の前まで来てみたが、表札も看板もかかっておらず、ここが投資詐欺業者のオフィスであるかは定かではない。

この状態から何をすれば……ん？　いや待てよ、俺は証券マンだ。インターホンを押し、社名を名乗り、名刺を差し出すこと自体は何もおかしくはない。通常こんなボロマンションに住んでいる連中に営業をかけたりはしないが、相手はそんなことは気がつかないだろう。

よし、営業のふりをして探りを入れてみよう。

ピンポーン
反応はない。留守でないことは間違いないのだが。

ピンポーン　ピンポーン　ピンポーン
『……はい？』

四回目を押したところで、やっと応答があった。明らかに鬱陶しいと言いたげな声だ。

「お忙しいところ恐れ入ります。私、帝日証券の義田と申します。本日は……」

『あー、いいからそういうの。営業っしょ？　うちは間に合ってんで』

反応は想定どおり。

「間に合っている……もしかして、既に投資をされていらっしゃいますか？」

『しつけーな！　してねーよ投資なんて！　んなことしなくても金なら稼いでるっつの！』

「それは凄いですね！　しかしお金を持っている方が、なぜこんな老朽化したマンションに？」

攻撃性の高い反応をする営業対象に、俺はこういう言い方をするときがある。こういうタイプは自分が「負けた」と思いたくないものだ。商品を買う気がなくとも、営業に侮られたくないのだ。

『は？　何お前。ここは俺の家じゃなくてただの仕事場だけど？』

仕事場か……。詐欺業者のオフィスである可能性が高くなった。

「これは失礼いたしました。しかし、もったいないですね。あまり〝お詳しくはない〟でしょうけど、投資というのはお金持ちほどメリットのあるものですから」

『詳しくない？　むしろ俺はプロだっつの』

食いついた。やはり侮られたくないタイプの人間のようだ。これは扱いやすい。

「え？　プロ？　どういうことですか？」

『ここで投資商材を売ってるわけ。ってかあんたと話してる時間無駄なんだわ。そんな時間あったら電話営業した方が儲かるんだよ、俺は。あ、なんならうちの商品買うか？』

オフィスに来た営業に対して、営業し返す人間は珍しくない。コンプライアンスが整備されていない企業に勤める強気な人間は仕掛けてきがちだ。今回の場合は好都合だな。

「それは儲かるんですか？」

『え？　あ、ああ。儲かる……けど』

「それは非常に興味があります！」

『え……おう……』

普段はこれで営業を追い返しているのだろう。食いつかれて逆に困っているようだ。しかし、こいつの性格的に自分から商品を勧めてしまった手前、引っ込めることはできないだろう。

「何か資料などありましたら、いただけますか？」

『……分かった。ちょい待ってな』

「はい！　よろしくお願いします！」

ドアが開くと、先ほどの若い男が顔を半分出してこちらを覗いてきた。

警戒しているのもあるのだろうが、どこか臆病な目をしている。俺は人の目を見ると直感することがあるのだが、おそらくこいつは、小学校か中学校あたりでいじめを受けた経験があるような気がする。

「あ！　改めまして、帝日証券の義田と申します！」

「あ、これ、資料……」

男が口を開くと、欠けた前歯と黒くなっている奥歯が見えた。歯の黄ばみが凄いのは、煙草(たばこ)でも吸っているせいだろうか。金があるなら歯医者には行ったほうがいい。

「ありがとうございます！　これ、本当に儲かるんですか？」

「え？　ああ、まぁ。儲かるけど……」

男が差し出した資料は、駄菓子屋の婆さんが持っていたものと全く同じだ。つまり、ここがＪＯＳＹＯアセットマネジメントの実務用オフィスということか。

「うわぁ！　絶対安全で高配当なんですね！」

「まぁ、そう」

「ところで、お名前伺ってもよろしいですか？」

「え、俺？　半田、だけど……」

半田？　こいつが婆さんを騙した奴か。婆さん……こんな男に騙されるか？　いや、しかし孫くらいの歳の男が懐いてきたら、断りきれないものかもな……。

「うーん……ちょっと読むだけだと、なかなか理解が難しいですねぇ……あ、もし良かったら商品の説明をしていただけませんか？」

「えぇ……？」

「玄関先だと近隣の日もありますし、近くのカフェか、あるいはこちらのオフィスの中で」

「あーダメダメ！　オフィスには誰も入れるなって社長に言われてっから」

社長？　こいつは下っ端か？　じゃあ、こいつをいくら問い詰めても婆さんの金は返ってこないかもしれないな……。

「半田さんが社長ではないのですか？」

「え？　いや、ちげーけど……」

「そうなんですか。先ほどから地頭の良さが滲み出ているので、てっきりそうなのかと」

「は？　な、何言ってんだよお前。ちげーし」

俺は、馬鹿をおだてるとき以外に「地頭が良い」なんて言葉を遣ったことがない。

「あー、それならセミナー行けば？　うちの会社、投資セミナーやってんだよ、今日。場所は駅前の貸し会議室。そこで商品説明もするし、社長もいっから」

「そうですか！　是非勉強させて頂きたいです！」

すると男はもう一度奥へ引っ込んで、書類とカードを持ってきた。

「じゃこれ、俺の名刺とセミナーのパンフ。この場所行って立ってる奴に俺の紹介つって名刺見せれば通してもらえっから。あ、時間な、今からだと午後の部。それに出て」

「はい！　何から何までありがとうございます！」

するとここで、半田は初めてぎこちなく笑った。

「いいよいいよ、俺の実績になるしな。あんた証券会社に勤めてんなら金あんだろ」

「ええ、それなりには」

「あっそ。じゃ、必ず行けよセミナー。俺は居残りでやることあって忙しいんだよ」

そう言いながら、半田はドアを閉めた。

いきなり訪問した怪しい男に、ペラペラ情報を話す間抜けな男である。気の毒に……。歩き方や話し方、身嗜み、歯の状態に育ちの悪さが出ている。おまけに仕事は投資詐欺だ。だが、別にお前が悪いわけじゃない。お前をそういう風に育てた親が悪いだけだ。

さて、セミナー会場に行って社長とやらを探すか。婆さんの金を返して貰わなければ。

パンフレットに記載された住所に着くと、そこにはなかなかグレードの高そうなオフィスビルが建っていた。座川駅のすぐ近く、真っ当な企業のテナントも複数入っているであろうこのビルの七階に貸し会議室があり、詐欺業者がセミナーを開いているらしい。

登記用住所や実務用オフィスはどれだけチープでも問題ないが、カモの目に見える場所だけは高級感を演出する必要があるわけだな。しかし、バーチャルオフィスも貸し会議室もそうなのだが、怪しげな業者の温床になっている現状に業界は何か対策をしないものなのだろうか。

エレベーターを七階で降りると、正面に「ＪＯＳＹＯアセットマネジメントの投資セミナーはこちら←」と書かれた看板があった。矢印の方向に目を向けると、スーツ姿の男がふたり立っている。あいつらに、貰った名刺を見せればいいのだろう。

「こんにちは。半田さんから紹介を受けて来たのですが」

そう言いながら男のひとりに名刺を見せた。

「え？　あ、はい。どうぞ中へ」

　男は俺を見て意外そうな顔をした。妙な反応だ。せっかく投資詐欺のセミナーにカモがやって来たのだから、もっと歓迎されると思っていたが……怪しまれているのか？

「ありがとうございます。今日は勉強させて頂きます」

　それにしても、こいつらもいいスーツを着ているな。着慣れていない感は否めないが。そういうファッションをしろという指示でも上から出ているのだろうか。

　男の反応が変だった理由は、セミナールームに入ってすぐに理解できた。会場後方から参加者を見渡すと、その髪色や毛量からして全員老人であることが明らかだったのだ。

　金融庁が公開する投資詐欺相談者の年齢構成では、三十代や四十代の被害者も珍しくなかったはずだから、俺が参加しても浮かないと思ったが……これは計算外だ。この業者は老人に特化して投資詐欺を働いているのかもしれない。

「皆さん！　〝コツコツ未来への備えセミナー〟にようこそ！」

　俺が席に着くと、セミナールーム中央に立つ男が朗々とした声で話し始めた。

「ＪＯＳＹＯアセットマネジメント代表取締役社長の三田です！」

　あいつが社長か。見た目はなかなか整っている。二十代後半くらいだろうか。身長は一八〇センチ前後、細身でスタイルが良く、黒髪短髪で印象は爽やか。例に漏れずハイブランドと思われるスーツを着用しているが、下っ端たちと違い、着慣れている。腕に巻かれているのはＩ

ＷＣだな。以前、同じモデルを客の家で見たことがある。

「皆さん、最近のニュースをご覧になられていますか？　物価は年々上がり、生活は苦しくなる一方。今、カップ麵いくらですか？　昔は百円少々で購入できた商品が、今は二百円以上しますよね。政府はあの手この手で増税し、消費税は近い将来一九％まで上がるかもしれません。さらに、皆さんの最後の希望である年金制度は崩壊しています。皆さんはともかく、お子さんやお孫さんは年金を満足に受け取れない。こんな国の景気が良くなるわけがないんです！　これはもう政府による〝国民イジメ〟といっても過言ではないでしょう！」

歯が白く綺麗に並び、その口から発する声はアナウンサーのようだ。まともな企業で営業しても十分通用しそうだが、なぜ投資詐欺をやっているのやら。

「ハッキリ言います！　日本の未来は暗黒です！　政府に依存して何の備えもしなければ、生活は苦しくなっていくだけなのです！　賢く資産運用して次世代に資産を残さないと、皆さんのお子さんやお孫さんは暗黒の人生を歩むことになります！」

三田は弁舌爽やかにそう語った。インフレや増税、年金などの問題を用いて社会不安を煽(あお)る論法は、投資詐欺業者だけでなく証券会社や銀行、保険会社、メディア、政治家など、ありとあらゆる者が使っている。それほど人々に行動を起こさせる方法として便利なのだ。三田の話には多くの事実が含まれるが、事実を商売に利用するのが商売人だ。俺だってそうしている。

「そんな不安定な社会を生き抜いていくためにはどうしたらいいか。自分だけでなく、自分以外の人々にも安心を届けるためにはどうしたらいいか、私は考えました。そんな思いから生まれたのが、弊社が自信を持つこちらの商品『絶対安全高配当投資』なのです。月間リターン率は、なんと驚愕（きょうがく）の二〇%。仮に百万円購入すれば、毎月二十万円の配当金が自動で入ってくる仕組みになっています。しかも、元本保証なのでリスクはありません」

ガッツリ金商法違反のセールストークである。違法上等でインパクト重視の売り方をしているあたり、短期間で金を集めてさっさとこの地域から逃げるつもりなのだろう。警察に通報してもまず間違いなく手遅れになるケースだ。こちらも悠長に構えてはいられない。

セミナーに参加している爺さん婆さんは、分かってんだか分かってないんだか分からないような顔だ。証券営業をしていても思うが、こいつらは理屈とは別の何かを信じて商品を購入することがある。普段販売側にいる俺が言うのもなんだが、こうして傍（はた）から見ていると異様だ。

「さて、何かご質問等ありますか？」

「一点、お伺いしたいのですがー」

質疑応答の時間を取った三田に対し、ひとりの爺さんが手を挙げ、立ち上がった。

「はい、なんでしょうか」

「私はこちらの商品を半年前に購入しまして、既に購入した金額以上の配当金を頂いているのですが、この商品はいつまで保有できるのでしょうか。できればずっと保有していたいのですが、保有期限のようなものがあるのですか？」

「いえ、保有期限はありません！　解約はいつでもできますが、保有している限り毎月二〇％の配当金を永遠に得られます！」

「そうですか。安心しました。これで孫の学費を用意することができそうです。ありがとうございました」

爺さんは分かりやすく胸をなでおろして席に着いた。

確信があるわけではないが、あの爺さんはサクラではないだろうか。質問の体で商品の魅力をPRしているだけのように見えた。投資詐欺業者がサクラを雇うのは、よくある話だ。

ここにいる爺さん婆さんを投資詐欺から守ってやる義理もないのだが、中には大して金を持っていない老人もいるだろう。そういう弱者が騙されるのを看過するのも夢見が悪い。金を奪うなら金持ちからにしてもらいたいものだ。

仕方がない。これ以上目立ちたくはなかったが、俺が目覚ましになってやろう。

「すみません、質問よろしいですか？」

「……はい、どうぞ」

「素人質問で恐縮なのですが……」

大卒の同僚たちから聞くところによると、世の中には、この前置きを用いて大学生の研究発表で質問する教員がいるそうだ。なるほど、こう前置きすればズレた質問をしても傷は浅いし、こんな素人質問にも回答できないのか？　というプレッシャーを相手にかけることができる。

攻守両面に優れた前置きだ。さすが知識人は豊かな教養で小賢しいことを思いつく。

「こちらの金融商品は要するにファンドですよね？　具体的には何に投資をしているのでしょうか？」

「投資対象は様々です。株式や債券、為替、金などに分散投資をしています」

「そうですか。毎月二〇％の配当金は大変魅力的なのですが、それを再投資して複利で計算した場合、一年間で資産が約八・九倍に増えるということですよね？　現在の株式や債券、為替、金市場の動向を基準に考えると、このパフォーマンスは明らかに突出しているというか……異常値であるように思います。指数をベンチマークとしたパッシブ運用ではなく、アクティブ運用をされていると推察しますが、具体的にどういった手法で投資を行っているか教えて頂けますか？　短期的にはともかく、長期的には伝説級の有名投資家ですら成し得ない高利回りなので、大変気になりまして……」

「……具体的な投資手法については、回答を控えさせて頂きます。会場にいる方々を疑うわけではありませんが、他社に真似をされると困りますので」

三田はややばつの悪い表情ではぐらかした。今のやり取りを聞いた爺さん婆さんたちはといえば……ダメだこりゃ。相変わらず何が分かっているのか分かっていないのか分からない顔をしている。仕方ない、もっと理解しやすい言い方をしてやるか。

「もう一点、質問よろしいでしょうか？　こちらの商品、絶対安全とありますが……」

「申し訳ありません。そろそろ定刻となりますので、ご質問はのちほど個別に承ります」

「……そうですか。分かりました」

セミナーの終了予定時刻よりも随分早いが。

「えー、他の方々も個別にご相談承ります。商品にご興味のある方は、会場スタッフにお申し付けください。それではセミナーを終了します。お疲れ様でした！」

手慣れたものだ。三田は俺の質問をかわし、早々にセミナーを打ち切ってしまった。

「おいあんた、ちょっとこっちに来てもらおうか」

背後から、いかにも「昔はヤンキーでした」という風体の男が俺の肩に手を乗せてきた。

どうやら、個別の相談に乗ってくださるようだ。


「なんですかあんた。何が目的？」

朗々とした声の爽やか好青年は営業用の姿だったらしく、三田はVシネマに出てくるヤクザの下っ端のような態度で俺に詰め寄った。背を丸めイスに前傾姿勢で座り、開いた両足の膝の上に肘をついて、口を半開きにしながら眉間に皺を寄せ、眉毛をハの字にして凄むアレである。

控え室の中には、三田の他に元ヤンキー男がひとり、さっき受付にいた男がひとり。これから半グレ集団の本領発揮といったところだろう。

特に三田の背後にいる元ヤン男は一触即発といった雰囲気だ。これは死語かもしれないが先ほどからずっとこちらにメンチを切っている。こういった〝いかにも〟なヤンキーの目の奥には、なぜこうも怯(おび)えの感情が見え隠れするのか。黒目がそわそわ落ち着かず、少しばかり長く目が合うと、先手を打つように威圧してくる。このタイプは舐(な)められることを極端に嫌うが、それは他者からの評価を異常に気にしていると言い換えることができる。その根底には、何か強い劣等感のようなものがあるのではないか。

若い頃から身体が大きく攻撃性の強い人間は、威圧や暴力を成功体験として覚えてしまうものだ。この元ヤンキーもそれらを行使することで相手の言動を封じ、劣等感を刺激されないよう自分を守り続けてきたのかもしれない。だとすれば、この男も紛れもなく弱者だ。暴力や威圧という自己防衛手段にすがっているだけの弱者。

ところで、先ほどから三人とも共通して落ち着きがない。客前ではないので癖が出ているのだろうが、貧乏揺すりや手遊び、身体を左右に揺らす、腕を何度も組み替える、身体のあちこちを触るなどの行為が止まらない。急な動きも多く、たとえば頭を掻(か)こうとするときに必要以上の速さで腕を動かしたり、やたらと物音をたてたりする。飲食店などで隣席の客をビクつかせるタイプだ。育ちの悪い人間の特徴である。

しかし、こいつらが悪いわけではない。周囲を観察し、周囲と調和することを教えなかった親が悪いだけだ。彼らの姿は教育の放棄によって〝作られた〟ものだ。俺はむしろ同情する。

「……十六時戻りなんですよ」

「あ？　何が？」

三田が片眉を上げて睨みつけてくる。

「今日は十六時に戻るって支店のホワイトボードに書いて出てきたんですよ。私は残業しない主義なので、もし何か事故にでも遭って、十七時以降も会社に戻らない、連絡もない……なんてことがあったら異常事態です。早まった課長が警察に通報してしまうかもしれません。勤めている会社も、テレビCMを流すくらいには大きい証券会社でしてね。そういうトラブルに敏感なんですよ。……ところで、そのIWC今何時ですか？」

三田は自分の腕時計に少し目を落として、すぐこちらに視線を戻した。背後にいる元ヤン男と違い、理屈が通じそうで助かる。

「アンタ証券屋か。なんでうちみたいなとこのセミナーに？　競合相手の視察？　営業妨害？」

「いえ、大した用件じゃないんです。それさえ済んだらすぐにでも帰って、記憶も失くしたいくらいでして」

「……なに？」

「私の知り合いが、そちらに金を騙し取られていまして。それを返してもらいたいだけなんです」

「騙し取られているとは人聞きが悪い。うちはちゃんと運用をしていて……」

「いやいや、もうやめましょうよそれ。ただのポンジ・スキームでしょう？」

「…………」

ポンジ・スキームとは、アメリカの有名詐欺師「チャールズ・ポンジ」が用いていた詐欺手法のことだ。高配当を約束し客から金を集め、その金の中から配当金を支払う。高い配当金が入ってきて気を良くした客に追加投資を求め、さらに金を集める。そうして頃合いになったら集めた金を持ち逃げするという手法である。大昔からある伝統的な詐欺だが、引っかかる奴は未だに多い。個人どころか日米欧の大手金融機関ですら騙された例があるくらいだ。映画にもなっている。この手法を最初に考えた男は天才に違いない。

「知り合いって誰？」

「話が早くて助かります。寺川市の北で駄菓子屋を営んでる田中というお婆さんです」

「駄菓子屋？　ああ……あのババアか。半田が担当の」

三田は小さく舌打ちした。

「常連の私が言うから間違いないですが、あのお婆さんは本当にお金なんて持ってないですよ。そんな老人から小銭せしめても商売にならないでしょう？」

「いやそんなわけないね。そういう婆さんほど金を隠し持っているもんなんだよ。俺たちがやっているのはね、そういう卑しい老人を裁く〝社会貢献活動〟なの」

ん……？　この男は急に何を言っているんだ？

「日本人の預貯金額がいくらか知ってるか？」

「……約一千兆円、といわれていますね」

「それを貯め込んでるのは誰か。老人だよ老人！　あいつらが銀行に貯め込んで、年金貰って、ロクな消費もせず、若者が納めた税金使って病院通って、のうのうと生き延びてんだよ！　そんな老人どもには金を吐き出させないといけないよねぇ？　そしてその金は、未来ある若者が使って、日本経済を回すべきだよねぇ？　だから、俺たちのやっていることは、社会貢献だよねぇ⁉」

急に熱弁をふるい始めた三田の背後で、部下ふたりが目を閉じ嚙みしめるように頷いている。

なんてことだ。こいつらは投資詐欺業者ではなく宗教団体だったのかもしれない。

しかし、老人＝金を貯め込んでる、というのは違うだろう。貧困老人だっているのだから。

どこかで見た言葉を曲解し、どこかで借りた言葉を用いて、老人が日本を悪くしていると決めつけ、自分たちの悪事を肯定しているのか。この男、顔や頭の出来はともかく、認知はなかなか歪んでいる。

「あなたたちの理念についてとやかく言うつもりはないですが、田中さんのお金だけは返してもらえます？　返してくれるなら私は素直に帰りますし、警察にタレこんだりしませんよ」

「……あの婆さんからはいくらだった？」

「たしか五十万円です」

元ヤン男が答える。

「あっそ」

三田はため息をつきながら、傍らのセカンドバッグから厚い財布を取り出し、一万円札を数え始めた。まとめてこちらに突き返してくる。

「はい、五十万。あんた面倒臭そうだからな。これで帰って。で、もう邪魔しないでくれな。もし次も商売の邪魔したら、こっちも洒落にならないことしないといけなくなるから」

「はい。わざわざ関わりませんよ。それでは失礼します」

やれやれ、どうにか金を取り返せた。曲がりなりにも俺は金融機関の人間だ。用もないのに反社会的勢力予備軍のような連中と、これ以上関わってたまるか。

＊　＊　＊

「世の中って本当に怖いわぁ。あの半田さんって人、本当にいい人に見えたんだけどねぇ」

「婆さん、悪い顔してる詐欺師なんてこの世にいないよ」

三田から金を返してもらうことより、その金を婆さんに返すことのほうが大変だった。あいつらが詐欺業者だったことを説明して納得してもらうのも、そんな奴らから俺がどうやって金を返してもらったのかも、それらを俺の職業を隠しながら説明するのも。

富裕層と証券マン、証券マンと詐欺師。クソ同士がクソみたいなやり取りをするのはある意味正常だが、そんなクソに巻き込んではならない人間というのが、この世にはいる。

「はい、チューペット。グレープ味ね」

「ああ……あんがと。婆さん、ほんとに気をつけろよ。詐欺とか」

「そんなこと言われても……自信ないわぁ……」

「いや、その心構えは正しいよ」

もしこの駄菓子屋が潰れでもしたら、俺はこの町で正気を保っていられるだろうか。頼むからできる限り長く続けて欲しい。

『金融庁公認と名乗る投資詐欺が頻発しています。市民の皆様、詐欺被害にご注意ください。不審な電話がかかってきたら、すぐに最寄りの警察署、または詐欺相談専用ダイヤルまでご相談ください。金融庁公認と名乗る投資詐欺が――』

詐欺への注意を呼びかけるパトカーが、駄菓子屋の前をゆっくりと通り過ぎていった。

もうしばらくすれば、あの詐欺業者も町を去るだろう。……しかしあの業者、本当に三田という男がトップだったのだろうか。

いや、もうあんな連中と関わることはない。考えるだけ無駄だ。

第5話

成金じゃない金持ちが一番クソ

「ヨッシー！　この前勧めてくれた株、もうこんな上がってるよ！　もう売った方がいい⁉」

「成田(なりた)社長、私としては長くお持ちいただきたいと思っております」

「あ、そう？　ヨッシーがそう言うならそうするよ！　ハハハ！」

貧乏人にも色々な種類があるように、金持ちにも色々な種類がある。

大別すれば、親から財を引き継いだ金持ちと、一代で財を築き上げた金持ちだ。この成田社長は典型的な後者。恵まれない出自から成り上がった、寺川市に本社を持つ高級自動車ディーラーのオーナー社長だ。

これ見よがしに付けている金無垢のロレックスと金のネックレス。明快な成金ファッションだが、俺はその姿に安心する。こういった成金を「下品」と馬鹿にする人間は、一度冷静に考えてみて欲しい。成金ではない金持ちとは、つまり親から資産を継承した人間のことではないか。下品な金遣いとは、つまり巨額の消費活動を行っているということではないか。下品だろうがなんだろうが、稼いだ金をひたすら使いまくる成金は立派である。少なくとも、たまたま恵まれた家に生まれ、そのおかげで資産を持ち、シコシコ貯め込んで上品ぶっている連中より遥かに。

ところで、おかしいと思ったことはないだろうか。有名経営者の自伝を読むと、親類縁者に会社経営者や大企業役員、政治家など社会的、経済的に上級の人間が〝たまたま〟いて、そういった人間たちからサポートを受け成功したという話があまりにも多いことに。

経営者は、サラリーマン以上に情報や人的ネットワークが重要な職業だ。親類縁者から資金や情報、人脈を継承した人間は、経営の世界でも大きなアドバンテージを持つ。起業というのは決して全員平等な競争ではない。むしろサラリーマンとして就職すること以上の格差をつきつけられる世界である。「貧乏から一代で成り上がった経営者」は印象的だし美談にもなるが、俺が知る限りでは、恵まれた出自の人間が経営者として成功している例が圧倒的に多い。

このように学歴も就職も起業ですら、親のステータスは子に継承されていく。にもかかわらず社会的成功を自分ひとりの力だと思いこんでいる連中のなんと多いことか。そんな奴らがハイソぶって「金遣いが下品」などと成金を冷笑する姿を見ると虫唾が走る。冷笑されるべきは先祖の力でふんぞり返っている貴様らだろう。

その点、この社長は地方の貧困家庭出身で学歴は中卒。十代で裸一貫東京に来て、アルバイト生活を経て四十代でここまでの金持ちになったのだから、感嘆を禁じえない。

出自に恵まれない人間が、ただ己の力だけで自分より恵まれた連中を押しのけ成功する。これに比して、何世代もかけて資本や文化を蓄積しながらも競争に負けた連中のなんと間抜けなことか。そいつらの先祖にまで遡り無能の烙印を押したようで痛快だ。この社長のような金持ちは、俺の計画の対象外である。

「そういえばヨッシーさぁ、最近、変なのが増えたって思わない？」

「変な……とは、どのような？」

「うちの店にさぁ、やたらと若いんだけど、お金持ってるっぽい客が何人か来るようになったんだよ。みんな二十代前半くらいだと思う。うちの車なんて、それくらいの子たちは普通、買いにこないんだけどさぁ」

「金持ちのボンボン息子ではないのですか？」

「いやいや、ボンボンなら雰囲気で分かるよ！　むしろ、その対極って感じの子たちでさ」

「つまり、育ちの悪そうな……」

「なんとなくだけどね、なんとなく」

寺川市だとそういった人物は珍しい。そう伝えると成田社長は「でしょ？」と応じる。

「こりゃまともじゃなさそうだなぁ……って勘が働いてさ、やんわり取引はお断りしてるんだけどね。うち客は選ぶから。ほら、反社とかだったら困るでしょ？」

「そうですね。しかし、勘ですか」

出自に恵まれない社会的成功者。これほど恐ろしい存在はない。通常なら成功できないはずの人間が、何らかの因子で成功してしまっているわけなのだから。こういった人種は何か常軌を逸した能力を持っているもので、成田社長の場合は、人を嗅ぎ分ける嗅覚だろう。自分にとって害になりそうな人間を察知する能力が異常に高いのだ。この社長が「怪しい」と思うのであれば、その人物は十中八九怪しい人間なのだろう。

「ヨッシーのことか金融機関は、反社リスト持ってるんでしょ？」

「ええ。反社はリストでチェックして口座開設前に弾く仕組みになっています、一応」

反社とは、反社会的勢力の略称だ。暴対法で「集団的又は常習的に暴力的不法行為等を行うことを助長するおそれがある団体等」と定義されている。具体的には、暴力団や暴力団関係企業、総会屋、社会運動等標ぼうゴロ、などのことである。証券会社は反社会的勢力とされる個人・法人のリストを持っており、口座開設審査の際に照会を行うことで排除している。

「うちの会社はそういうリストとかないからさぁ、反社チェックには金払って調査会社使わないといけないんだよ。でもいちいちそんなのやってらんないでしょ？　だから俺の勘が頼りってわけ。ローテクだよねぇ」

ローテクではなく超能力だ。俺は首を横に振った。

「社長。それがですね、反社リストも万能ではないんです。反社を排除するために法整備はされましたけど、最近は半グレや、社会運動標ぼうゴロの〝亜種〟みたいな連中が増えました。そういった連中の名前は反社リストにありません。反社も時代によって姿形を変えますので、リスト頼りの審査も怪しいものですよ」

「そうかぁ。結局、いたちごっこになっちゃうんだねぇ。……あ、ところでさ、今度の土曜日に『銀杏会』あるけど、また来る？」

「あ、よろしいですか？　是非伺いたいです。しかしお邪魔になりませんか？」

「いいよいいよ。他にも地元の金融マンとか来るし。俺もしょせん成金だから肩身狭くてさ。むしろヨッシーが来てくれると助かるよ」

「そう言っていただけると助かります。では、お邪魔いたします」

銀杏会は、寺川市の経営者や名士など地元の有力者が集まる定例親睦会だ。正式名称は「寺川銀杏会」。寺川市を象徴する大学通りの銀杏並木に由来する。地元に貢献したい、名声が欲しい、金持ちとのコネが欲しい、ただの付き合い……参加者の思惑はさまざまだ。地元で有名な人間ほどこういった集まりは無視しにくいものらしく、成田社長も顔を出している。ただ、一代で財を成した人物であるし、この町では新参者だ。付き合いで参加している銀杏会では、肩身の狭い思いをしていることだろう。

　こういった集まりには、地元の金融機関や不動産会社、インフラ企業に勤めるサラリーマンが参加していることも珍しくない。俺も以前、成田社長を通じて参加したことがあるが、鼻持ちならない地元の有力者を相手に、サラリーマンが仕事獲得のため一生懸命道化を演じていた。こういう集まりには、へりくだり上手な潤滑油的人間が必要なのだ。

　資産家を相手に仕事をしている俺にも、絶好の機会であることは言うまでもない。


　支店の二階フロアに戻ると、一課と二課の課長が中央のデスクで話し合っていた。

「あ、義田！　ちょっといいか？」

　俺を見つけた課長の上村が、また若干申し訳なさそうな顔で手招きする。きっと何か売って欲しい商品があるのだろう。

「あのさ、ワクチン債が来ることになったんだけど」

「いくらです？」

「一課で予算二千万円、二課で千五百万円。あと、一応三課で五百。……どう？」

「分かりました。全部ください」

「だ、大丈夫か？」

ええ、と頷くと、「そうか」と上村の表情が安堵に変わる。この人は感情が読みやすい。

「あのぉ、義田先輩。ワクチン債って？」

席についた俺に下柳が話しかけてきた。

「この債券で調達された資金は、発展途上国のワクチン接種に使われる」

「え！　そんな債券あるんですね！」

「利率が低いから、証券マンには人気ないけどな。投資家は高い利率を欲しがるから、条件の悪いワクチン債なんて買いたがらない。投資家に売れにくい商品はこっちも扱いたくない」

「でも先輩、さっき隣の課のノルマまで引き受けてませんでした？」

「ほっとけ」

ワクチン債は条件が悪く売れにくい。こんな商品でも販売ノルマとして支店に降り掛かってくるものだから、現場の証券マンはたびたび迷惑を被っている。「クソみたいな債券引き受けてくるんじゃねぇよ本社」と他の連中は内心、思っていることだろう。

しかし、俺はそう思わない。生活に困らない金持ちから集めた金が、発展途上国のワクチン接種に使われ、人の命を救う。これほど有意義な仕事があるだろうか。これこそが金融による社会貢献の理想形ではないか。

だから俺は、ワクチン債が支店に来るたびに販売の多くを引き受ける。同僚たちは俺に感謝しつつ不可解な顔をするが、金儲けに囚われた投資家の腰巾着には一生理解できないだろう。

「あ、先輩。俺コンビニで昼飯買ってきますけど、何かいりますか？」

「ああ、もうそんな時間か。いや、一緒に行こう」


「いらっしゃいませー」

支店の近くにあるこのコンビニは、直営店ではなく、本部と契約したオーナーが運営するフランチャイズ店だ。人手不足か経営難か、いつ来ても五十代前後と見られるオーナー夫婦が店頭に出て働いている。

「合計三点で一〇三五円になります」

「あっ、ひとつレジ通ってないですよ」

「え？　あ！　すみません」

もう一度バーコードを読ませ直して、オーナー夫人が頭を下げる。

「……合計四点で一二五二円になります。すみません……」

「大丈夫ですよ。気づけてよかった」

今日も彼女は顔色が悪い。手にはあかぎれ、指にはささくれがあり、爪の周囲も変色している。毎日の品出しや運搬、水仕事をする人の手だ。栄養状態も良くないし、過労や睡眠不足も心配だ。オーナー夫婦の月間労働時間はどれほどで、それでどれだけの収入を得ている？

俺は、労働者としてはかなりの収入を得ていると思う。おそらくオーナー夫婦の数倍は稼いでいるはずだ。仮に俺の年収がこの夫人の十倍だったとしよう。俺はこの夫人の十倍社会の役に立っているか？　いや、俺の主観ではそんなことはないと思う。では俺が日頃相手にしている資産家どもはどうだ。金融資産を転がすだけで多額の収入を得ている。仮に奴らがこの夫人の百倍の収入を得ているとして、本当に夫人の百倍社会の役に立っているか？　いや、絶対にそんなことはないと思う。

しかしこの世には、稼いでいる収入がすなわちその人間の社会的価値なのだ、と語る連中が非常に多くいる。資本主義社会の中ではそれが常識である、是であると。

俺も馬鹿ではない。自分に支払われる給与は利益から、利益は顧客から得ているわけで、顧客ひいては社会にとって価値があるとされているからこそ、自分は多くの収入を得ることができているという客観的事実は理解している。資産家どもの金も、投資によって巡り巡って社会のどこかに貢献している。だからこそ奴らは多額の金を得る……客観的にはそうなのだろう。

その客観的事実を理解した上で、目の前で働いている人間の何倍も何十倍も自分たちのやっていることに価値があるとは到底思えない。俺の主観が客観を強く拒絶しているのだ。資本主義社会が俺や資産家たちをどれだけ肯定しようとも、俺はそれを否定する。資本主義の手先のような仕事を実際にやってみて、いよいよ俺は「コレは明らかにおかしい」と思うに至った。

俺がこの仕事をしている真の理由は……。

「まいどありがとうございました」

オーナー夫人は儚げに微笑む。俺は目礼し、レシートをレジ前の小箱に捨てて店を出た。

一緒についてきた下柳が、ひそひそと楽しげに耳打ちする。

「先輩、レジミス黙ってれば一品お得だったのに。」

「馬鹿かお前。これ一九八円だぞ。コンビニのフランチャイズ店が一九八円の利益出すためにどれだけの売上出さないといけないのか、分かって言ってんのか」

冷ややかに睨みつけると、下柳は肩をすぼめて頭を下げた。

「す、すみません。調子乗りました……」

「小売店にとって、レジミスとか万引きによる損失は洒落にならないんだ。金融商品を右から左に流すだけでアホみたいに稼げるうちみたいな業界とは違うんだよ」

「反省します……っていうか、義田先輩っていっつもコンビニとかの店員さんに丁寧ですよね」

「俺はいつも丁寧だろ、支店の奴ら以外には」

「いやぁ……なんとなく、お客さんに対する丁寧さとも違うような」

「気のせいだ」

「気のせいですかね」

＊　＊　＊

週末。俺は寺川銀杏会の立食パーティーに来ている。

寺川銀杏会は二部構成だ。地元の商工会議所を借りて、午前の部では二階会議室で地域振興や町づくり、教育や経済に関する講演と意見交換、午後は三階の大会議室にケータリングサービスを招(よ)んで立食パーティーを行う。午前の部には地元の大学教員なども参加し、なかなか向学心に訴える内容を講演してくれるのだが、堪らないのはこの午後の立食パーティーである。

「成田社長、よくお噂(うわさ)は聞きますよ」

「これはこれは中田(なかた)さん。私の噂ですか？　いい噂だったら嬉(うれ)しいんですが」

「いやぁ、もちろんいい噂ですよ。会社の景気がよろしいとかで。お忙しいんでしょう？」

「いえいえ、貧乏暇なしで……」

謙遜する成田社長に、中田と呼ばれた老人が滔々(とうとう)と語り始める。

「本当にね、元気のある会社は大歓迎です。新参でも気にすることはない。私はね、もうかれこれ三十年ほど〝そういう忙(せわ)しないこと〟はしていないものですからね。会社は息子に譲り、晴耕雨読の毎日ですよ。いや、実際に田畑を耕しているわけではありませんが」

「それは羨ましい限りです」

「働き盛りの成田さんには、引き続き地域を盛り上げていただきたい」

「ありがとうございます。頑張ります」

地元の有力者を相手にする時の成田社長は、いつもと違う話し方になる。態度は控えめで、徹底して謙遜。そして厄介な爺さんや婆さんの話を一方的に拝聴するのだ。一代で財を築いた人間は何かと反感を買いやすいので、これが社長流の処世術なのだろう。

しかしなんだ、成田社長と話している中田というジジイは。先ほどから、まるで働いていないことをステータスだと思っているかのような口ぶりではないか。労働は下賤の者がするものとでも思っているのではないか。いや間違いなく思っている。現に先ほどから社長の隣にいる俺には一瞥もくれない。

お前が保持する不動産だって、労働者が管理・運営をしているからこそ収益を生み出しているのだろうが。自分の生活が誰の力で成り立っているかを忘れたなら教えてやりたい。それを耄碌というのだ。

「どうも、中田さん」

「あ、これはこれは冨永先生」

いけ好かない中田の背後から、老爺と三十代とみられる男のふたり組がやってきた。

老爺はべっ甲の眼鏡をかけていて、背は丸まっているが大柄、髪は白くなり後退しているもののスーツの着こなしに気品がある。ああ……これはきっと金持ちだ。今「先生」と呼ばれていたが……冨永……冨永……？　そうだ、あの顔は冨永名誉教授。寺川市にある国立大学の名誉教授で、地元大手スーパーマーケットの会長でもある。あのスーパーには俺も何度か営業をかけたが門前払いを食らっている。

老爺の横にいる若い男は、背が高くがっちりとした体格で、顔は浅黒く精悍、非常に整った俳優のような……えっ……？

「中田さん、孫の誠一を連れてきましたよ」

「おおー！　誠一くん、お久しぶりです。君が小さい頃に一度会ったことがあるんだけどね、覚えていないだろうねぇ」

「中田のおじさん、ご無沙汰しております。実はうっすら覚えています」

「そうかい。いやぁ、大きくなったねぇ！」

「誠一はK大学を卒業して、外資系コンサルタント会社に就職しましてね。そこを退職して、今度うちの会社の役員になる予定なんですよ」

そうですか、と中田は相好を崩した。

「いやぁ、やっぱり誠一くんは優秀だ」

俺だけが、その場で凍りついていた。冨永誠一……嘘だろ、こんなところで……。

「中田さん、そちらの方々は？」

「ああ、こちらは地元でカーディーラーを営んでいる成田さん」

紹介されて、成田社長が冨永老人に会釈した。

「初めまして、成田です。隣の彼は、帝日証券寺川支店に勤めている義田くんです。私の友人でして、今日は無理を言って連れてきてしまいました」

「初めまして、義田です」

中田から一貫して存在を無視されている俺に気を遣って、成田社長が紹介してくれた。

「証券会社……はぁ、そうですか。いやまぁ、ご友人は大事にされるべきでしょうな」

証券会社と聞いて、冨永老人は露骨に態度を変えた。直接的ではないが「お前は歓迎しない。察してくれ」という態度だ。口に出さなければ自分の品格を保てるとでも思っているのだろうか。メラビアンの法則によれば、人間同士がコミュニケーションによって受け取る情報のうち、視覚情報は五五％を占めるのだとか。だとすれば、言葉にするより態度で示すことの方がよほど失礼だ。

「あれ？　いや、すみません。もしかして義田くん？　K大学で一緒だった」

「はい。お久しぶりです」

「いや本当に久しぶり。〝あの後〟どうしたのかと思ったけど……そうかぁ、証券会社で働いているんだ！」

「ええ、運良く職を得まして」

冨永老人が孫の様子に反応する。

「なんだ誠一、知り合いか？」

「うん。大学で一年生のときに何度か。でも義田くん、大学を辞めたって聞いたからさ、心配してたんだよ」

「ええ。ちょっと家庭の事情もありまして」

「そうなんだね……」

「申し訳ありません皆様。実はこれから出勤で……そろそろ失礼させていただきます」

「出勤？　土曜日なのに」

「ええ。貧乏暇なし、休日出勤というやつでして」

「そうかぁ。いや、もっと話したかったなぁ」

「成田社長、すみません」

「……うん、分かった。忙しい中、無理言って連れてきてすまないね」

＊　＊　＊

飲んだ。

銀杏会を嘘で抜けた後、したたま飲んだ。思考がまとまらない。記憶も曖昧だ。いつの間にか、桜の蕾（つぼみ）が目立ち始めた大学通りを歩いていた。

まさかあんな場所で冨永誠一と会うとは……最悪の気分だ。大学一年生ぶり……か。いや、立派立派……K大を卒業したあと大手外コンに就職し、そこを辞めた後は一族経営の会社役員ですか。あのグループは非上場だから財務内容は詳しく公開されていないが、確か、持株会社の売上高は五八〇億円、従業員数はパート含めグループ全体で四千人だったな。地場企業としてはトップクラスの規模だ。三十代前半でそんな会社の役員か冨永。いずれは跡を継いで社長か？　世襲ここに極まれりだな。

俺は、小学生の頃から少し勉強が得意だった。別に塾には通っていない。家庭教師もついてはいなかったし、親が教育熱心だったわけでもない。「自分の力」で勉強した結果だった。

勉強のできる人間は偏差値の高い学校に進学する……なんて、都会の世界観だ。俺は周囲と同じように、大して偏差値の高くない地元の高校に進学した。普通だ。うちの地元じゃこれが普通。頭が良くても悪くても、みんなこの高校に通うのだ。そもそも「偏差値の高い学校に進学する意味」や「大学に進学する必要性」とやらを正しく説明できる大人が周囲にほとんどいないのだ。そんな環境で育ったら、学校選択だってそうなるだろうさ。

ＳＮＳは悪魔の発明だ。高校二年生の頃、親にスマートフォンを買ってもらった。金のない家というのは、たまに驚くようなことに金を使う。だから金がないのではないかとも思ったが、最新の機器に胸は躍った。試しに当時テレビで話題になっていたＳＮＳをインストールしてみるとびっくり。そこには世の格差が一覧化されていたのだ。

どうやら、都会にいる煌びやかな同世代は、大学に進学するのが当たり前らしい。大学には格付けのようなものがあって、ランク上位の大学に進学できない人間は「負け組」なのだと言う連中もいた。負け組の大学に進学した人間は、まともな就職もできないそうだ。そうやって大学のランクで言い争っている奴ら曰く、そもそも高卒はあり得ないのだとか。ディスプレイ越しに異世界の価値観を垣間見たような衝撃だった。

どこからどこまで本当の話なのか分からないので、インターネットで見た情報について親や教師に聞いてみたが、彼らは明確な回答を持ち合わせていなかった。この地域の大人たちは、地元の中高を卒業して地元で働くビジョン以外持っていないのだ。母親は俺に、高校を卒業したら地元の市役所で働いて欲しいと言う。それが母親なりのベストシナリオらしい。

よそはよそ、うちはうちと割り切ることができたらどれだけ楽だったか。

知らなくてよかった格差を突きつけられ、自分が明らかに格差の下側にいることに気付かされ、しかもそれが「生まれ」という本人からすればどうしようもないことに依るものと知って、精神のバランスを保てる十代がどれだけいる？　きっとこのＳＮＳを生み出した人間は、ただ作って流行ればいいとしか思っていないに違いない。何でもかんでも「オープン」にすることが、格差の下側にいることを自覚していなかった者たちに、どれほどの劣等感を与えるのか。そういったことを考えもせず、コレを世界に広めたのではないか。そう思って創業者の生い立ちについて調べてみると、海外の有名なＨ大学在学中にこのＳＮＳ事業を始め、軌道に乗った後に中退したのだとか。ちなみに両親は医者。くたばれと思った。そりゃ格差になんて関心すら持たないわけだ。

しかし、インターネットは劣等感とともに叡智も授けてくれる。世には「奨学金」というものがあって、これを借りれば金がなくても大学に進学できるという。その話をすると母親は、借金（奨学金）は恐ろしいと強く反対した。テレビで報道されている奨学金破綻者の話を何度も何度も繰り返し俺に話し、「借金はダメ、借金は危険」と念仏のように唱えてきたのである。

俺が高校三年生のとき、第二種奨学金の返済金利は利率変動方式で一％を割っていた。利率固定方式ですら一・五％前後で、これは当時の市場金利と比べても相当に低い水準だ。また、就職後に収入が少なかったり病気や怪我で働けなくなったりした際は、返済を猶予・免除できる仕組みもある。これも一般的なローン商品と比べ破格である。それに日本学生支援機構が公開している奨学金の返済率は毎年九六～九八％で、テレビに出てくるような奨学金破綻者はマイノリティもいいところだ。そもそも、俺は無利息の第一種奨学金を借りるつもりだった。

……そんな感じで、俺はインターネットで学習した内容をデータと共にひとつひとつ母に説明したが、母の知力の限界を超えていたのか精神的パニックを起こしていたのか、もはや理屈やデータで説得できる状態ではなかった。親はダメだと思い、高校教師に相談してみたのだが、進路指導教員は奨学金の返済利率を三％だと言う。俺は頭がクラクラした。それは上限利率であって、現在の返済利率ではない。こいつもダメだとすぐに分かり、早々に相談を切り上げた。

つまり俺の周囲にいる大人たちは、俺が思う以上に世の中のことを知らなかったのだ。金融についても、学歴についても、就職についても、おそらくそれ以外のことも、インターネットで調べれば高校生でも分かるようなことを分かっていなかったのだ。にもかかわらず「大人である」というだけのことで、俺の進路には知ったような顔で助言をする。

俺は怖くなった。自分は人も物も常識も、世間から隔絶された環境にいるのではないかと。無知な大人たちが、その無知によって俺をこんな場所に縛り付けようとしているのではないかと。

俺が田舎から出て東京の大学に行くと決めたのは、このときだ。人間には生まれながらの階層というのがあって、残念ながら俺はその下側に生まれた。しかし階層を飛び越え別の階層に移るチャンスというのはある。それが大学受験と就職活動なのだと、このときは信じていた。

学費とひとり暮らしの生活費は、第一種と第二種奨学金をどちらも借りればどうにかなる。先に金を借りて大学に行き、良い職を得て返済する。そういう意味ではこれは先行投資だ。奨学金は、俺のように下の階層に生まれた人間にチャンスを与えてくれる素晴らしい制度である。富める者が〝金〟を〝融〟通し、貧しい者にチャンスが与えられる。〝金融〟という仕組みに関心を持ったのもこのときだった。

十八歳の春、俺は第二志望のK大学のキャンパスにいた。第一志望の国立大には落ちたが、自分の出自からすれば上々の結果と言っていい。母親はひたすら借金――奨学金の心配をしたが、金融リテラシーの「き」の字もない母を相手にするのは疲れたので、「大丈夫」とだけ言って説き伏せた。

冨永誠一という男に出会ったのは、大学の新入生歓迎会だ。勉強一筋で生きてきた田舎者は、とにかく世俗に疎い。ファッションや趣味、流行などの話をする周囲と馴染めなかった俺に、奴のほうから話しかけてきた。

新入生はなぜか既にグループが形成されており、冨永はその中心人物のような男だった。背は高くガッチリとした体格で、顔は浅黒く精悍、非常に整った顔をしている、俳優のような男である。浅黒い顔とは対照的に歯は白く綺麗に並んでおり、笑うときには輝いて見えた。ファッションも垢抜けていて、田舎者丸出しの俺とは大違いであった。きっとこいつは、都会の真ん中を歩いても、自分の歩き方や服装が変ではないかと気にしたことなんて一度もないに違いない。

冨永は、まず間違いなく人間的に悪ではなかった。周囲に溶け込めない俺に気を遣い、わざわざ話を振ってくれたのだから。しかし自分たちの常識とあまりにも乖離した現実に直面したときは、どう反応するのが正しいのか分からないようだった。

俺の家庭の話になると、冨永やその周囲にいる連中は、信じられない話を聞いたという顔をした。

確かに俺の母親は中卒だ。俺は母親の無能さに腹を立てたことはあるが、母親の学歴を恥だと思ったこともおかしいと思ったこともない。だが、どうやら冨永たちからしたらそれは驚くべきことらしい。しかしその反応はまずいと思ったのか、彼らはすぐさまうちの家庭をフォローしてきた。

確かに俺は、ひとり親家庭で育った。俺は自分を可哀想だと思ったことはないが、冨永たちは随分と悲痛な顔をして、同情的に俺の話を聞いた。実家の風呂は薪で沸かしているが、冨永たちはこの話をギャグだと思ったらしく「むしろお洒落」と笑った。さすがに便所は汲み取り式ではないと話すと、冨永たちはいよいよ我慢できなくなったらしく、腹が捩れるのではないかという勢いで笑った。

この会話をきっかけに、俺は冨永を中心としたグループと大学の構内でたまに話すような関係性になったが、自分が当たり前だと思っていたことを話して、同情されたり大笑いされたりするのは気持ちのいいものではない。以来、俺は冨永たちに対して極力家の話をしないようにした。

冨永たちと会話を重ねる中で、俺はこの大学の仕組みを知った。

彼らは俺のように一般入試に合格してK大学に入学したのではなく、系列の小学校からエスカレーター式で上がってきたのだという。俺のような学生のことを「外部」、冨永のような学生のことを「内部」と呼ぶらしい。

それを聞いて、俺は困惑した。学力試験一発勝負で全員平等に競うのが大学受験の理念ではないのか。平等だからこそ、全力で競った結果に納得ができるのではないのか。もし冨永たちの言っていることが真実だとすれば、この世には生まれた瞬間、学歴をほぼ約束された者たちがいるということになる。

なんだそれは。どこが平等だというのか。どこが実力主義だというのか。

だが、恵まれた者たちに「こうあって欲しい」と願うルサンチマンを満たしてくれるのは、ドラマや漫画の世界だけなのかもしれない。

悔しいことに冨永たちは無能ではなかった。恵まれた出自は能力や人格をも育むらしく、彼らは頭脳明晰であったし、どんな者とも別け隔てなく積極的に関わる社交性も身に付けていた。学業や課外活動にも熱心で、特に金と人脈にものを言わせて行う課外活動のスケールには、いつも驚かされた。彼らは口々に「大学は学問や貴重な体験のためにある」と言う。さすが、奨学金を借りる必要のないお坊ちゃんお嬢ちゃんはご立派なことを言う。

俺からすれば大学はより良い職を得るための手段であり、就職予備校だ。お前たちのように現実の生活を軽視したような言い方はできない。

とにかく、これらの現実は俺の心を激しく傷つけた。甘やかされて育った金持ちのボンボンは、せめて無能であるべきではないのか？　人格破綻者であるべきではないのか？　そうでなければ、救いがないではないか。冨永たちに対してそんな気持ちを抱く俺こそが、人格破綻者なのではないか。

勉強以外は何もできない俺の劣等感は、大学入学後半年も経たずして限界に達していた。それが爆発したのは、ある日、学内のカフェで冨永たちと食事をしたときだ。一旦離席し、手洗いから戻ってきた俺の耳に、冨永の声が聞こえてきた。

「彼、黄色くない？」と。

たしかに聞こえた。間違いなく聞こえた。俺の歯のことだった。

冨永誠一。お前からすれば、ただの軽口だったのだろう。世間一般の感覚でも軽口の範囲だろう。だが、人の見た目の欠点を口にするなら覚悟を持つべきだ。生まれた時から恵まれているお前は想像したこともないかもしれないが、お前が指摘する俺の欠点の背景にあるのは、明らかに生まれながらの格差だろう。

確かに俺の親は貧乏で、教育意識に乏しいよ。子供の身嗜みにもさほど関心がないさ。綺麗な歯をしているお前と違って、俺の歯は黄色いし並びも悪い。でもな、それは子供の歯を気にかけない、気付いても金を投じることのできない親の下に、たまたま生まれただけだ。俺の何が悪い。

お前はきっと、あくまで俺個人にそれを言ったのであって、俺の親を批判するつもりなど毛頭ないに違いない。

それが余計に問題だ。生まれの差というものに、お前は鈍感すぎるのだ。いや、お前だけじゃない。お前のような奴ら全員がそうだ。


俺が、誰の、何に、怒っているのか。

お前ら恵まれた人間たちの無自覚に怒っているんだよ。


俺は大学を辞めた。親の制止を振り切って辞めた。

これ以上あの環境に耐えられなかった。きっと俺以外の外部組の中にも、俺と同じような劣等感を抱えていた奴らがいたに違いない。そいつらは劣等感に耐えたのかもしれない。現実に折り合いをつけることができたのかもしれない。しかし俺に、それは無理だった。

俺は大学を辞めて、働いた。倉庫で働いた。工場で働いた。金を貯めて、真っ先に歯のホワイトニングと矯正をした。それでやっと人前で堂々と口を開けるようになったよ。おい冨永、いくらかかったと思う。二百万円以上だよ。今だって金を投じ続けている。お前にとってははした金か？　俺は必死に貯めたがな。ファッションや芸術、流行についても勉強したよ。お前らが当たり前に生きてきて当たり前に知ったことを、俺は何ひとつ知らなかったからな。

それだけじゃない。考えたよ、探したよ、お前らみたいな人間に一撃を与えられる職業を。

金融機関がいいと思った。しかし残念ながらどこも大卒採用ばかりだ。そんな中でひとつだけあったんだよ。証券会社のＦＡ職。高卒でも働けて、上級国民の資産にアクセスできて、総合職と違い、異動がない。全ての条件を満たす職業が、あったんだよ。

泥酔しながら昔のことを思い出して歩いていると、いつの間にか大学通りを抜け、駅前に着いていた。

冨永誠一。俺はお前個人を憎悪しているのではない。お前は象徴だ。生まれた瞬間から格差の上層にいる人間たちの象徴が、俺にとってはお前なのだ。俺はお前のような人間たちが全員、憎くて堪らないのだ。

俺はなんのために、こんな仕事をしているのか。

俺はなんのために、富裕層に取り入ってきたのか。

俺はなんのために、この土地で十年以上信用を築いてきたのか。

つまり〝そういうこと〟だ。

もしこれがひとつの物語だとしたら、ここまで読んで読者は勘違いをしているかもしれない。

この物語は「帝日証券寺川支店に勤める証券マンの営業奮闘記」ではない。

現代の義賊による、「巨額投資詐欺事件簿」である。

第6話

勲章ジジイ

二〇〇八年十二月。米国史上最大の投資詐欺事件は、日本のメディアをも騒がせた。

諸説あるが、推定詐欺総額は約六五〇億ドル。当時のドル円レートで約六兆五千億円だ。東京都の税収をも上回るこの巨額投資詐欺をやってのけたのは、米国の主要株式市場のひとつＮＡＳＤＡＱの運営会社、ナスダック・ストック・マーケットの元会長、バーナード・マドフという男だった。米国の金融政策にすら影響を与えるような人物が、投資詐欺をしたのだ。

その詐欺手法は、幾重ものスキームを組み合わせた複雑かつ巧妙なものではなく、非常にシンプルなポンジ・スキームだった。先日、老人たちが引っかかっていたアレだ。

素人百人中九十九人は引っかからないであろうそれに引っかかった間抜けどもを挙げていこう。個人であれば、米国アメフトチーム「フィラデルフィア・イーグルス」の元オーナー、米国野球チーム「ニューヨーク・メッツ」のオーナー、「ジュラシック・パーク」や「プライベート・ライアン」で知られるあの映画監督など錚々たるセレブだ。マドフはユダヤ系コミュニティを通じて顧客を開拓しており、その被害者数は数百人とも数千人ともいわれている。法人であれば一七〇〇年代に創設されたロイヤルの名を冠する英国の大手銀行、これまた二百年ほどの歴史があるフランスの大手銀行、日本ならN證券、A銀行、S生命保険、N損害保険など、各国トップクラスの金融機関が詐欺に嵌められている。

米国史上最大の投資詐欺をやってのけたマドフは、ひとつ良いことを教えてくれた。

それは「金持ちだろうがプロだろうが投資詐欺には騙される」という事実だ。

これも諸説あるが、マドフは最初から投資詐欺をするつもりで証券会社を立ち上げたわけではないらしい。彼がポンジ・スキームに手を染めたのは、顧客から預かった資産の運用に失敗し、資金繰りに困ってからだと。それが本当だとすると、少なくとも最初は真っ当にビジネスをするつもりだったのである。……そこだ。そこがこの巨額投資詐欺のポイントなのだ。

最初から詐欺をするつもりで詐欺をしても、大した金額は得られない。それだけの額を得るために必要な「信用」を積み重ねられないからだ。詐欺がバレたマドフが信用を失うのに一日もかからなかっただろうが、それだけの金額を集めるための信用は長い時間をかけて築いてきたに違いない。真に詐欺をするのであれば、時間をかけて〝真っ当に〟仕事をし続け、実績を作り、カモたちから大きな信用を得るべきなのだ。

証券会社の就職説明会を受けたとき、採用担当者から「この業界は信用が大事だ」と言われた。なるほど、そのとおりだ。金融機関は命の次に大事な金を扱う仕事。そうである以上、信用が大事であることは言うまでもない。

では、その金融機関に勤める人間が強烈な悪意を持っていたら？

たとえばそれが銀行員だったら？　銀行員が顧客の預金を脅かすなんて、そんなことを常に心配しながら生きる人間はそういない。自分の給与は正しく銀行口座に振り込まれ、いつでも引き出せる。それが常識だ。だが銀行員が、積極的に顧客の預金を狙っていたら？

ではそれが証券会社だったら？　購入した株式や債券、投資信託を、証券会社が勝手に売買する、あるいは勝手に送金するなんて、そんなことを警戒している人間もそういないだろう。その証券マンが、むしろ積極的に顧客の資産を狙っていたら？

顧客が金融機関に対して勝手に抱いている「安心」や「信用」などというものは、結局のところ金融機関従業員の道徳によって成り立っているに過ぎない。実際、金融機関従業員による横領や詐欺事例はいくつもあるのだから、金融機関の信用などというものがいかに脆弱か分かるだろう。

俺が手に持つ「帝日証券」と書かれた名刺には、会社が広告宣伝やブランディングによってコツコツ積み重ねてきた信用が付与されている。

俺は、これを利用するつもりでこの業界に来たのだ。

＊　＊　＊

「あー！　プレミった！　ヤバいヤバい！　下がろう！」

「はい」

「義田さん右、右！」

何度も言うが、金持ちには色々な種類がある。俺の隣でゲームをしている二十代半ばの小太りな男は、このマンションの一階にある不動産会社の役員だ。そんな男が平日の午前中に何をしているかといえば、マンションの最上階にあるこの部屋で、証券マンとともにゲームに興じているのだ。なぜそんなことが可能なのか。それは男が信じられないほどのラッキーボーイで、寺川市に複数の収益物件を持つ不動産会社のオーナー一族として生を享けたからだ。

こいつの祖父は、先日寺川銀杏会で出会った中田という老人である。経営から退いた今も、会長として経営に口出ししているらしい。

中田老人は随分と孫煩悩のようで、自分の息子だけでなく孫も自社の役員に据え、毎月役員報酬という名の小遣いを与えている。多めの役員報酬を経費として認めさせるには勤務実態が必要ということで、中田老人は「不動産企画部」という大仰な部署を用意し、孫を部長に任命した。これで経営に参加しているという体を作り、税務署を煙に巻くつもりなのだろう。

もちろん孫のこいつは見せかけ以上の仕事はしていない。現に一階の不動産会社に出勤後は、すぐに最上階のこの部屋に籠もってゲームをしている。

資産家一族からすれば、法人利益の一部を実質的に孫に贈与し、それを経費とできるわけで、このスキームを使うメリットは大いにある。なんてことはない、規模の大小はあれど、世の社長たちがよくやっているやり方だ。おかげでこの孫は、肩書きだけは立派だが労働の苦労など一切知らず、部屋でずっとゲームをしていられるわけである。有り体に言えば、一族の資産で生きるボンボンクソニートだ。

「ヘイトこっちで持ちます。今のうちに」

「ありがとう義田さん！」

このニートと出会ったのはつい先日のことだ。寺川銀杏会の翌日、パーティーを突然抜けたことを詫びる、という名目で中田老人の不動産会社に訪問し、連絡先を聞こうとしてみたところ、たまたまその場にいた孫と出会った。

客を喜ばせるプロになろうとすると、世の中のありとあらゆることに知見を持つようになってしまう。芸術同様クソほどの興味もないが、俺はわりとアニメや漫画、ゲームにも詳しい。孫は娯楽に詳しいというだけで俺のことを〝同族〟、つまりオタクだと思ってくれたようだ。話が弾み、数日の間にゲームをする仲にまでなった。

しかし俺がオタクとは甚だしい勘違いだ。俺の娯楽知識や技能は客を開拓するために身に着けたのであって、面白いとか好きだなんて思ったことは一度もない。自分が好きな分野について詳しい人間をすぐ同族扱いするのは、こういう奴らの悪い癖だ。正直、気持ちが悪い。

「そういえば和樹さん、ネット証券とか投資やってないんですか？」

「あーなんかやってたけど、少しやって飽きたー……あ、そっか。義田さん証券マンだっけ」

「一応そうですね」

「投資って儲かんの？」

「うーん、やり方次第ですかねぇ。和樹さんみたいな地頭いい人は、少し勉強すれば上手くやれると思いますよ」

「えー？　地頭いいかなー？」

「そりゃそうでしょう。こんなにゲーム上手いんですし。正直、和樹さんみたいな人、羨ましいです。私なんか毎日あくせく働かないといけませんからね」

「ははは。働いたら負けだと思ってる！」

「いやぁ、本当にそれですよね」

　クソガキが。お前の生活が誰の労働によって成り立っているか気づいてないのか？　少し論理的に物事を考えられる知能があれば思い至るだろう？　これだから名ばかり役員の世間知らずは……。

「あ、今度、投資の資料持ってきましょうか？　別にうちで取引しなくてもいいんで」

「あー、そうだねー。じゃあお願いしようかなー……あ！　義田さんそれアイテム俺取る！」

「はい」

俺の経験上、家族をひとり開拓したら、その家庭は攻略したも同然だ。孫を溺愛する祖父の中田老人も、いずれ開拓できるだろう。

それと、俺は頭の悪い奴をおだてるとき以外で「地頭が良い」なんて言葉は遣わない。

＊　＊　＊

「義田先輩！　あそこの部屋です！」

「ああ」

「まだ誰も来てないっすね！　席、どこでも適当に座っちゃってください！」

「どこでもってわけにはいかないだろ。適当な下座にしておく」

「どこが上座で、どこが下座なんでしたっけ……？」

「シモ……。入り口に近い方が下座で、遠い方が上座だ」

「は、はい……。ありがとうございます……」

「いや、くだらないマナーだとは思うけどな。うちの支店長は飲み会のとき、そういうのうるさいぞ。くだらなくても幹事なら気をつけとけ。くだらなくてもな」

「気をつけます……」

全く、職場の飲み会というのはくだらない。

ノルマを追い続けた地獄の決算期が終わり、新年度の四月に入ったら、今度は支店の決起会だと？　酒を飲んで気合いを入れれば成績が上がるというものでもあるまいし、そんな時間があったら自宅に帰って勉強でもしたほうがまだ成績に繋がるのではないか。何かにつけて酒を飲みたい年寄り連中は本当に迷惑な存在だ。支店の全員を巻き込むな。

「おお早いな、義田！　下柳！」

「あ、支店長、お疲れ様です」

「ご苦労ご苦労。さて俺はどこに座るかなぁ。ここでいいか」

宴会の会場に着いた支店長は、そう言って、俺の前に座った。

もちろん俺はこの支店長が嫌いだ。昭和の臭いが残る脂ぎった証券マンで、いい歳こいて眼鏡の下は野心的な目つき。声も身体も態度もデカく、課長たちを詰めるときはドスの利いた声を出すのだが、実のところ経歴はエリートのボンボンだ。いいとこのお坊ちゃまが舐められないためにVシネマに出てくるヤクザの真似事をして強がっているようで痛々しい。豪快な証券マンを演じる一方、独自色の強いマナーなど変なところで神経質なので、飲み会で知らずに虎の尾を踏む社員もいる。非常に面倒臭い中年である。ちなみに腕に巻いている時計はロレックス。証券会社の管理職級にありがちだ。

「……支店長、あちらの上座が空いていますが……」

「いいよここで。義田とも話したいと思ってたし」

「あ、いや……しかし支店長が下座に座られると、他の社員が気を遣うのでは……」

「それもそうか。じゃあふたりで上座に移動しよう」

「あ……はい……」

最悪だ。支店長たちが座りそうな上座から最も遠い席に座ったはずなのに、管理職が集まるであろう上座側に移動することになってしまった。これは、今日の飲み会は堪えるぞ……。

「お疲れ様でーす！」

「遅いぞお前ら！　さっさと席つけ！」

三々五々、他の社員たちも会場に集まってきた。

そして、飲み会が始まって一時間。場はすっかり温まっている。俺は管理職に囲まれ、身動きもできない。しかし地蔵のように固まっているとそれはそれで周囲に不快感を与えるので、適度に喋り、適度に酌をし、適度に注文を取っている。なんて疲れるイベントだ。

こういう席に来ると思うのだが、「証券会社は実力主義である」というステレオタイプなイメージは、半分正しく半分誤りだ。

たとえば今、支店長と課長相手に一生懸命道化を演じている島田という男。勤続七年、昨年この支店に異動してきた中堅セールスだ。こいつが管理職たちに一生懸命ゴマをする理由なんてひとつだけだ。すなわち「良い顧客」が欲しいのである。良い顧客とは収益を稼げる顧客のことだ。

証券会社のセールスも、中堅ともなれば会社の顧客を引き継ぐことが多くなる。自分が新規開拓したわけでなくとも資産数千万円から数億円、場合によって数十億円以上の顧客を引き継ぎ、取引収益を稼ぐことができるというわけだ。当然それは営業成績やボーナスに反映される。だから証券会社のセールスは誰だって、優良顧客を引き継ぎたいと考えている。

では、引き継ぎ先はどのように選ばれるのか。支店や課の成績に大きな影響を与える大口顧客の場合、支店長や課長が判断を下す。果たして管理職は客観的で公正な判断をするだろうか？　セールスの能力を正確に評価しようとするだろうか？　顧客との性格的相性や、本人の持つリソースを考慮するだろうか？　……いいや、そうとは限らない。中には極めて独断と偏見に満ちた判断を下す管理職もいるのだ。馬鹿馬鹿しいことに、セールスに対する〝好き嫌い〟で顧客の引き継ぎを判断してしまう管理職がいるのである。

うちの支店長はその典型だろう。自分に好意を向けてくるセールスに信頼感を覚えるのか、そういった者に大口顧客を任せる傾向が見られる。逆に自分に対して好意を寄せないセールスには冷淡で、何かミスや成績不良があればすぐに客を剝がすこともある。

それを理解しているセールスたちは、社内でまで管理職に「営業」をするのだ。こういった飲み会は格好の機会。涙ぐましくも非生産的な努力だとは思わないのだろうか。道化を演じ管理職に媚びへつらう証券マンも痛々しくて見ていられないが、それ以外の証券マンたちの会話も聞くに堪えない。

支店長がグラスを傾けながら語っている。

「先週の休み、家族で遊園地に行って……」

ほう。こんな悪魔のような仕事をしておいて、休日は家族相手に人間のふりか。

「やっぱりね、仕事っていうのは真面目にやらないとダメよ。俺もずっとね、コツコツやってきたから今があるわけ」

ほう。真面目にこの仕事を？　なるほど、そりゃ出世するわけだ。人間にはなかなか真似できない。

「お待たせいたしました！　生ビールとハイボール、芋焼酎ロック、あと烏龍茶です！」

俺がテーブルの空きスペースを示すと、アルバイトらしき男は「ありがとうございます！」と頭を下げて、空いたジョッキを引き取っていく。

「こちらに置いといてください。あとはやっときます」

さきほどチラっと見たポスターにあったこの店のアルバイト時給は一二〇〇～一五〇〇円、正社員なら月給で二五万～三〇万円とあった。それに対し、今ここにいる支店の面々はいくら稼いでいる？　新人のシモ以外は、ホールスタッフの年収の数倍を優に稼いでいるだろう。

日本は今、貧しくなっているのだと言う者たちがいる。しかし、正確には二極化の拡大だ。

労働者同士を比較しても、稼げる職業はさらに稼ぎ、稼げない職業はさらに稼げなくなっている。残念ながら証券会社は前者。こいつらは「日本が貧しくなった」とは微塵も感じていない。

では、貧しい連中は稼げない仕事に就いたから稼げないのであって、それは自己責任なのだろうか。違うだろう。就職活動で有利とされる学歴にも、面接で求められる非認知能力の発達にも、大卒就活に関する正確な情報の獲得にも「生まれの差」が大きく絡んでいる。それらを自己責任で処理するのは暴論だ。

人間は、生まれながらにして選択できる職業の幅が決まっている。誰でも自由に好きな職業を選べるかのように見えるこの国の就職市場は、実は見えない壁で区分けされており、稼げる職業を選べる側の人間と選べない側の人間に分断される。その〝見えない壁〟を乗り越えるためにどれほどの努力が必要か、乗り越える過程でどれほど人格が屈折するか、どれほど常軌を逸した能力が求められるか、恵まれたこいつらには想像もつかないだろう。

俺の気持ちも知らず、こいつらが飲み会で口にする武勇伝ときたら、会社が顧客から訴訟された際に証言台に立ったことがあるとか、相場混乱時に大口客の仕組債がノックイン寸前で不眠症になったとか、昔は投信の短期乗り換えで莫大な収益が稼げたとか、凡そロクでもない。そんなロクでもないことをしている奴らの口から出てくる、賢しらな金融用語にも腹が立つ。

俺は、寺川市の富裕層を開拓しきったら、そいつら相手に詐欺をしかけて金を騙し取るつもりでこの仕事をしている。だから自分の仕事に罪悪感など毛頭ないが、こいつらはどうなのだろう。たとえばそれによって得た金で家族を食わせることに何の罪悪感もないのか。家に帰れば可愛い子供の笑顔が見られるだろう。その子に対して何の後ろめたさもないのだろうか。客を嵌めた回数を「成績」なんて言い方でデコレーションし談笑するサイコパスたちと、美味い酒が飲めるはずがないだろう。こいつらにその自覚すらないのだとしたら、なおさらたちが悪い。

……耐え難い。この空間は。

＊　＊　＊

その家は、寺川市の地場大手スーパー創業者一族が住むには慎ましかった。

富裕層にありがちな高級車は駐まっておらず、庭の整備に金をかけている様子もなく、ドアや表札にも高級感は感じられない。周辺の民家とさほど見た目の変わらない家。こんな場所に冨永誠一の祖父、冨永幸夫が本当にいるのだろうか。疑いながらもインターホンを押す。

『はい、冨永です』

「お忙しいところ恐れ入ります。本日アポイントを頂きました帝日証券寺川支店の義田です」

『ああ、今開けるから』

ドアを開けて出てきたのは間違いなく、先日、銀杏会のパーティーで会った冨永幸夫だ。

「どうぞ、中へ。証券会社の人間がうちの前にいることを周りに見られたくないのでね」

「はい、それでは失礼いたします」

家の中に入ってみたが、玄関から見渡してもやはり何の変哲もない普通の家だ。この尊大そうな男にはあまりにも似合わない。

俺の視線に気づいたのか、冨永翁は言い添えた。

「狭い家ですまないね。ここは別邸なんだよ」

「別邸ですか」

「ほら、あるだろう？　ひとりで思索にふけりたいときが。私はね、本邸とは別に自分用の空間をいくつも持つことにしているんだ。思索にふける場所は質素な方がいい」

そう言えば、以前どこかの講演で全国に別荘を何軒も持っていると言っていたな。

「それと、あまり本邸に似つかわしくない客は、こちらで対応することにしている」

はっきりと失礼なことを言われたが、気にしたら負けだ。


案内された部屋は書斎のようだった。壁の二辺が本棚で埋まり、手前に木製のL字デスク、その上には資料や本が積み重なっている。パッと見た瞬間、窓からさす木漏れ日を感じながらここで本を読み耽(ふけ)るイメージが浮かぶような部屋だ。さすが腐っても名誉教授の肩書きをもつ者らしい部屋である。それを教養のマウンティングと捉えるのは、捻(ひね)くれすぎだろうか。

「そこに座ってくれていい」

「それでは、失礼いたしまして」

冨永が椅子に腰掛けたことを確認してから、俺は近くのソファーに座った。

俺がどういうルートでこの状況にまで辿り着いたのかというと、こうである。

先日、不動産会社オーナーの中田という老人の孫を開拓した。その孫を通じて祖父と連絡を取り、寺川銀杏会のパーティーで途中離席したことを詫びた。その際に、あの日あの場にいた冨永にも謝罪をしたいと中田老人に伝え、連絡先を教えてもらったのだ。

この手の偉ぶった人種は、営業は拒否するが謝罪の申し出は受け入れるものだ。その習性を逆用した。対面で会ってしまえば、やりようはいくらでもある。

「先日は、冨永先生の前でパーティーを途中離席してしまい、失礼いたしました」

「先生は止してくれ。別に謝罪なんて大げさだよ。仕事だったんだろう？　私は何も気にしていないのに、今日は君がどうしてもと言うから」

「無理な申し出をいたしました。しかし〝寺川市の礎〟とも呼ばれる冨永先生を前に、あのようなことをしてしまい、これは直接謝罪をしなければならないと……」

「……ほう、よく知っているね」

「寺川市で働いていて、冨永先生の功績を知らぬはずがありません。先生が地域の経済や文化に貢献したからこそ、寺川市の今があるのですから」

「いやいや、大げさだよ」

　今のやり取りをひとつずつ解説したい。

　まず、この男は「先生」と呼ばれると「止してくれ」と言うが、これは嘘だ。実際先生と呼ばれたときの表情や体の動きを観察すると、まんざらでもないのが明らか。だから先生と呼び続けるのが正解だ。

　次に、この男は「謝罪なんて大げさだ」と言ったが、これも嘘だ。尊大な精神を持つこの男は、他人から頭を下げられるのが大好きなのだと予想していたが、それが当たった。あの顔を見てほしい。謝罪を受け入れる懐の深い自分に酔っているかのようだ。

　そして、極めつきが〝寺川市の礎〟というふたつ名。どこの太鼓持ちが考えたのかは知らないが、こいつはごく狭い界隈（かいわい）でそう呼ばれているらしい。当然そんな身内ネタを世間一般の人々が知るはずもないのだが、中田老人との会話で事前調査しておいた。その甲斐（かい）あって、冨永センセーは大変自尊心をくすぐられたようだ。

　大体の人間は、自分のことを理解してもらいたいと思っている。そして大体の人間は、自分のことを理解してもらうために自分について喋りまくることを恥ずかしいことだと思っている。自己顕示する姿を見られたくないのだ。

　つまり、自分について発言したくはないが、自分に関する都合の良い部分は他人に知ってもらいたいと意識的・無意識的に思っている。その観点からすると、著名人というのは攻略しやすい。なぜなら一般人と違って、こいつらは自分に関する情報を様々な場所で発信しているからだ。冨永の場合、自分の研究テーマや経営術、自分史などの著書をいくつも出しているし、テレビや地元紙に取り上げられた過去もある。様々な場所で講演などもしている。こいつの内面を分析するための材料は、あちこちに転がっているのである。

著名人は様々な人間から四六時中アプローチを受けているので、営業マンの類いにはうんざりしている。だから、この手の連中に営業をかける際は、有象無象の営業マンと思われないように差別化が必要だ。その差別化方法が〝理解者になる〟ことなのだ。

「君、金井くんと懇意にしているんだってね」

「あ、ええっと……」

「ああ、証券会社と付き合いがあると言うわけにはいかないか。個人情報というやつだな」

「……申し訳ありません」

俺はしおらしく目を伏せてみせた。筒抜けなのは百も承知だ。

「まぁいい。実は銀杏会で金井くんと話してね。君のことについて少しだけ聞いたよ。なかなか芸術に理解があるんだってね」

「いえ、それほどでは」

そこで冨永は、ふと思い出した顔で訊いた。

「大学はどうして辞めたんだい？　孫の誠一と同じK大だったんだろう？」

「ええ、実は家庭の経済的な事情がありまして……」

「そうか、もったいないね。君のような人材は大学を出るべきだった。最近は大学生と呼べないような無教養者が蔓延っているが、君はそういった者たちとは違うようだ」

「恐縮です」

「ところで、私が旧通産省にいたことは知っているかな？」

「もちろんです。T大学で博士号を取得後、旧通産省所管の研究所で働かれ、様々な実績をあげられ所長になられました」

「そう、そのまま研究所で働こうかと思ったけど、父の会社もあったから。知っているかな」

「はい。寺川市の大手スーパーTOMINAGAです。昨年度の売上高は五八〇億円、従業員数四千人。これほどの規模になったのは、冨永先生の手腕によるところかと」

「うんうん。その後のことは知っている？」

「経営をご子息に譲られ会長職に就かれた後、地元大学の教員になられ、研究においても数々の功績をあげられました」

「君は本当に良く勉強しているね」

冨永はご満悦だ。

こいつは分かりきったことを何回聞くつもりか。お前の経歴なんぞ地元紙や書籍で腐るほど公開されているではないか。まさか、こんなことを他の連中にも……やっているんだろうな。

「君、こちらに来なさい」

そう言って冨永は席を立ち、俺を部屋の奥に案内した。

「これは……」

壁に飾られていたのは勲章と勲記であった。そう言えば、こいつは確か瑞宝重光章をもらっていたんだったな。これがとっておきの自慢というわけだ。いや恐れ入る。庶民と違いマウンティングにも腰が入っている。

「そこの文章を、読んでごらん」

勲記を音読しろと言っているのか？　おい。本当にこいつに勲章を与えて良かったのか？

「……はい。日本国天皇は……」

「大きな声で読みたまえ」

「は、はい。日本国天皇は、冨永幸夫に、瑞宝重光章を授与する。皇居において璽をおさせる」

「うんうん」

事実は小説よりも奇なりと言うが、世の中には本当にこういうことをやる人間がいるのだ。これは見損なっていた。この男は俺の想像を遥かに上回る承認欲求の化け物だったのだ。

冨永幸夫。孫と違って正真正銘のクソ野郎でありがとう。

これで心置きなくお前を陥れることができるよ。

第7話

底辺を知らないことを誇るな

「えー、こちらが昨年度の決算結果です」

都内某所のレンタルオフィス。スクリーンに映された業績グラフを四人の男が凝視している。

「おい三田ぁ、お前の投資詐欺の利益クソじゃね？　前年比で落ちてんじゃん」

「はぁ？　たった一年結果が悪かっただけでそれ言う？　じゃあ一ノ関、お前のYouTube事業はどうなの。去年ゴミだっただろ」

「いやいやいや、まとめサイトとかオンラインサロンの収益あるかんね。ゆーてYouTubeだけじゃねーからうち」

「ふたりとも、会議中ですよ。ちなみにグループの収益に占める割合が最も高いのは僕の事業ですけどね」

「二宮（にのみや）の事業収益なんて、来年にはうちのYouTube事業だけで抜けるわ」

「一ノ関さんのは不安定です。YouTube側の判定ひとつで収益認められなくなるでしょ」

「バーカ。だからいくつもチャンネル運営してリスク分散してんだろ。何も知らねぇ素人が。ってかYouTubeだけじゃねぇしうち。他にも手広くネットメディアやってるし！」

「ってかさー二宮のやってる闇バイトの斡旋（あっせん）って、要するに中抜きだよねぇ？　俺嫌いだな中抜きって言葉。日本を悪くしてるのは中抜きだよ中抜き。あと老人な」

「頭が悪いと世界がシンプルに見えていいですよね。中間業者が何もしてないと本気で思い込めるんですから」

「え、それ俺に言ってる？　二宮、それ俺に言ってる？」

「さぁ。でも図星の人がキレるんじゃないですか？」

「お前さぁ！」

「みっ……みっみっみっ、みっみっみっみっみっみっ」

三人が言い争いを始めると、中央に座っていた四人目の男が口を開いた。

しかし言葉がなかなか出てこないようで、同じ一音をずっと繰り返している。男は生まれつき発語に困難を抱えているため、他の三名はじっと言葉が出てくるのを待った。

「みっみっ……みっみっみっ、みんな、なっなっなっなっなっ、なっなっなっ、なっ、なっ……な、なっ仲良く」

「「「はい‼　申し訳ございませんでした‼」」」

男たちはリーダー格の男にすぐさま謝罪した。そしてお互いに向き直り、謝罪し合った。

「三田くん！　ごめんね！」

「いいよ！　一ノ関くん！　ごめんね！」

「いいよ！」

「一ノ関くん！　三田くん！　ごめんね！」

「「いいよ！　二宮くん！　ごめんね！」」

「いいよ！」

その小学生のようなやり取りを見届けた後、中央の男は手元のパソコンに文字を打ち込み、それを三人に見せた。

男は、普段はこうして文章でコミュニケーションを取ることにしている。

ディスプレイに映る文章を読んだ男たちは、小学生のように無邪気に笑った。

「計画」を実行するときが来たのである。

誰か俺を褒めて欲しい。

あの冨永というマウンティングモンスターの自慢話に二時間、笑みを絶やさず耐えたのだ。

「今日は浮かない顔をしているねぇ」

「婆さん、俺の顔が浮かないのはいつものことだろ」

「いつも以上に浮かないねぇ」

＊　＊　＊

冨永の書斎から解放された帰り道、精神のバランスを保つため、いつもの駄菓子屋に寄った。

クソ……思い出すだけでも腹が立つ。あの爺さんに比べれば、孫の冨永誠一なんて可愛いものだ。ただ自分が恵まれていることに無自覚なだけのボンボンなのだから。

しかし冨永幸夫は違う。来訪者に勲章を見せびらかし、勲記を音読させる。何のプレイだ。まともじゃない。俺が勲記を大きな声で読み上げているときの奴の顔ときたら、目を細め、頬と口角を上げて穏やかに嫌らしく笑うんだ。俺の声を使って自分が歩んできた「パーフェクト人生」を噛みしめるように。……おぞましい。

すぐさま奴の資産をむしり取りたい衝動に駆られたが、残念ながらそのアイディアはない。今日は冨永の話を聞くだけで本格的な投資提案には至っていないし、しばらくは無理だろう。

あの手の連中は警戒心が強いから、そう簡単に俺の提案を受け入れるとは思えない。つまり、これから長い時間をかけて交流し、俺の有益性を伝えるとともに良き理解者として信用を獲得していく必要があるのだ。奴に取引を持ちかけられるのは半年後か、一年後か……。

奴の話をニコニコ聞いて一年……二時間話を聞くだけでもこんなに疲弊しているのに、何かの刑罰だろうか。もっと早く信用を獲得する方法はないものか。新規上場株（IPO）を配分してみるか……いや、絶対儲かるとは限らない。取引の一発目で損をさせたら信用も失う。

落ち着け、落ち着け俺……焦るな。

なんのために十年以上、こんないけ好かない土地で働いてきた。富裕層の信用を築き、丸ごと投資詐欺に嵌めるためだろうが。冨永は地元の名士だ。焦ってあいつの信用を損ねでもしたら、他の名士にも瞬時にそれが伝わり、俺の計画も丸潰れになる。……我慢だ。奴がどれだけ腹の立つ男でも、我慢してコツコツ信用を築いていくしかないんだ。

ああでも、もし奴の信用を短期間で獲得できるなら、犯罪でもいい。そもそも俺は犯罪をするつもりなのだから構わない。しかし犯罪を含めて検討しても、アイディアが思い浮かばない。

「あんた、顔がますます険しくなってるけど」

「……いや、ちょっと仕事が大変でさ」

「無理しちゃダメよ？」

婆さんの心配そうな顔に癒やされる。

「そういや婆さん、アレから投資詐欺の話は来てないか？　大丈夫？」

「ええ、おかげ様で。……あ、この前、寺川駅前のスーパーで半田さん見かけたわねぇ。お店の品出ししてたわ。声はかけなかったけど、更生したのかしらねぇ」

「いやいや……そんなわけ」

何からツッコんでいいのか分からない。この町で投資詐欺の勧誘をやっていた男がスーパーで品出し？　元顧客に見つかって通報でもされたらどうする。そもそもなぜスーパー。

「婆さん、それどこの店？」


婆さんから話を聞き、寺川駅の北側ロータリー付近にあるスーパーに入ってみると、いた。間違いなく、あの座川市のボロマンションで会った半田という男だ。菓子コーナーでかったるそうにポテトチップスを陳列している。背を丸め、首をハトのように前に突き出し、ガニ股で品出しをしているが、髪の色は黒から茶色に変わっており、腕にはブレゲの腕時計。そんな不自然なスーパーの店員がいてたまるか。何から何までちぐはぐな男だ。

「おい、俺のこと覚えてるか？」

棚の前で声をかけると、二、三度まばたきをして、半田は「あっ」と声をあげた。

「おめーのせいで三田さんにめっちゃ怒られた！　『あんなの勧誘するな馬鹿』って言われた

ぞ！　俺のこと騙したな！」

「ああ騙した。で、詐欺師がなんでこんなところで働いてんだ」

「べ、別に……ほっとけよ」

半田は目を背け、体と足の向きを陳列棚の方向にやや戻した。手は体の後ろに回してモジモジしている。明らかに何かを隠しているという態度だ。

「お前さ、こんなところで働いてたら面倒なことになるんじゃないか？」

「え……どうして？」

「どうしてって。そりゃお前に嵌められた詐欺被害者だってこのスーパー使うだろ。見つかったらどうすんだ」

「あ！」

って……マジかよ……。

蛇口を捻れば水が出るということくらい分かりそうなものだが、こういう人間は蛇口を捻ってから何が起きるか考えるようだ。論理性が著しく欠如しており、一手先のことすら考えずに行動する。これまでもその場しのぎの刹那的な生き方をしてきたのだろう。

「まだ投資詐欺やってんのか」

「は？　もうやってねーよ。アレはもう終わり！　今は次の仕事してんだよ」

「終わり？　次の仕事？」

「うるっせーなぁ！　話しかけんなよ、俺働いてんだよ！」

「また貧乏人から金毟るようなこと、するつもりじゃないだろうな」

俺が睨むと、半田はカッとして言い返した。

「しつけーよ、しねーよ！　ここだってすぐ辞めるわ。やりたくてやってんじゃねーんだよ」

「辞める？　やりたくてやってるわけじゃない？」

「あ、いや……」

急に言いよどむ。更生のために働いているわけではないようだ。これはいよいよキナ臭い。

「何を企んでいるのか正直に言わないなら、俺はこのまま警察に行こうと思う。交番近いしな。警察も、まさかこんなところで詐欺師が働いているとは思わないだろうなぁ」

「はぁ？　やめろし！　もうやってねーつってんだろ！」

「今やってなくても過去やった罪は消えないだろ。……何を企んでるんだ？」

「いや知らねーよ！　三田さんが、とりあえずスーパーとかコンビニとかで働けって言うから。俺だけじゃない、うちのグループの連中があちこちで働いてんだよ今」

「グループ？　ああ、あのセミナー会場にいた奴らか」

「あーいやいや、グループ全体」

「詐欺してんのはお前らだけじゃないのか」

「いや詐欺やってんのは俺たちだけだけどぉ……なんつーか、まぁとにかく、何十人といんだよ、うちのグループ」

混乱する。何十人もの半グレ仲間があちこちの小売店で働いている？　それも一斉に？

「あとのことはまた今度知らせるって言われてるから、俺はマジで知らないんだって」

三田は何をやらせようとしているのか。目的が金銭だと仮定して考えてみよう。数十人もの人間を各地のスーパーやコンビニに潜り込ませて、何の利益になる？　小売店のスキャンダルでも摑んで強請りの材料に使うつもりだろうか。それとも内部から集団窃盗？　労働法違反の証拠を摑んで集団訴訟？　いずれもピンとこない。

「お、おい。急に黙るなよ」

「……三田からは他に、何か言われなかったか？」

「いや別に……『ヨグルト』売ってる店ならなんでもいいって言われたくらい？」

「ヨグルト……乳酸菌飲料の？」

「そうだけど」

ヨグルトを作っているメーカーは上場企業。……まさかそういうことか？　だとしたら〝それ〟は使える。もしかしたら、それを利用して冨永の信用を獲得できるかもしれない。

「半田、三田は今どこにいる？」

「はぁ？　なんだよ急に」

「いいから！　三田に会わせろ。じゃないと警察に……」

「お、お客様っ、いかがいたしましたかぁ？　半田くん、どうしたの？」

俺と半田のやり取りを見て、社員と思われる人間が慎重に話しかけてきた。クレームに対応しますという構えだ。そうか、この絵面だと俺は客観的にはクレーマーか。

「いえ、ちょっと知り合いだったもので話しかけてしまっただけです。半田くん、じゃあ仕事終わるまで外で待ってるから。何時まで？」

「今日は十八時までだけど……」

「そう。じゃ、その頃に店の前で。すみませんね店員さん。では私はこれで」

＊　＊　＊

「そもそもお前、どうしてこんなことしてるんだ？」

「どうしてって……」

バイト終わりの半田をスーパーの店先で捕まえ、近くのファストフード店に入った。しかし、いつ見てもこいつは落ち着きがない。今も貧乏揺すりをし、ストローの袋を手で弄り回しながらあっちを見たりこっちを見たりしている。その目は相変わらず怯えており、ヤンチャなのは格好や言動だけで、本質的にはいじめられっ子のように思える。

「……ビッグになりたいんだよねぇ。これ、俺の夢なんだけどぉ」

半田はポケットからくしゃくしゃの紙を出した。紙には汚い文字で箇条書きがある。

【ビッグになる計画】
・金もちになる（10オクくらい）　・みなと区のタワマンに住む　・ランボルギーニのる
・有名人になる（テレビに出る）→でもダサいことしない　・デカい男になる
・なかまをたくさんつくる　・モテるようになる　・マイナス思考なくす　→プラス思考
・やりたいことをやる　・まわりの目を気にしない　・人それぞれ　・全部自分しだい
・ぜっ対全部うまくいく　・出会いに感しゃ　・社会よくする

内容を見た瞬間、震えた。この紙切れ一枚に、半田という男のことが表れすぎている。恐らくどこかの自己啓発に影響を受けたであろう箇条書き法、書けない漢字の多さ、小学生のような文字、願望の浅はかさ、思いつきで書いていることが明らかな感情の吐露、そして、それらを「計画」と……。

俺はこの男が心底気の毒に思えてきた。端的に言えば、この男は俺が思っていたよりも遥かに頭が悪かったのだ。だから自分の願望と行為の矛盾に気づくことすらできない。下手をしたら、過去の詐欺行為も万引き程度の悪としか思っていないのかもしれない。それほど重く罰されるとは思ってもいないのかもしれない。それくらいの思考力しかないのかもしれない……。

しかし、それはこの男の責任だろうか。いや違う。こんな悲惨な状態に育てあげた親が悪い。生まれた場所が悪い。格差が悪い。こいつは紛れもなく被害者だ。

世の中には、こういう人間の存在を知らないどころか、底辺を知らないことに優越感を覚えているようなボンボンのクソ野郎がいる。また、存在を知っても目を逸らし、いなかったことにするクソ野郎もいる。だが、俺はそういう連中とは違う。俺はこの半田という男の存在を認める。この世には確かにいるのだ、こういう人間が。

「なんだよ、突然黙って」

「……いや。それより、稼ぎたいなら犯罪以外の方法があるだろ。真面目に働くっていう」

「いやいや、ないわそれ！　ってか働いてたけどねホストとかで。でも向いてないんだよ。上下関係キツいし、ああいう……なんつーか、社畜？　みたいな働き方無理」

今だって上下関係の中で社畜のように働いているくせに、何を言ってるんだ？

「前やってた投資のやつだって、ある意味社会貢献っていうか。ほら老人って金貯め込んでて日本の癌じゃん？　そういう奴らに金を吐き出させるのはいいことだし、金もかなり稼げたし。今は……なんでスーパーで働かされてるか分かんないけど、まぁ三田さんの命令だから」

半田の中では明らかな矛盾が整合し、明らかな間違いが間違いではなくなるようだ。こいつの上司の三田という男が、そう洗脳しているのだろうか。

「本題だ。三田はどこにいる？」

「え……えっとぉ……いやマジできっついなぁそれ……俺マジで怒られるじゃん」


「で、こうなったわけだ」

不機嫌丸出しの三田の前で、土下座せんばかりに半田が謝る。

「す、すみません三田さん！　でもこいつ警察に言うって！」

半田に連れられて来たのは、座川市にあるマンション四階の一室。以前、半田と出会った実務用オフィスと思われる部屋だ。中はさほど広くなく、デスクと固定電話が並んでいるだけ。

なるほど、ここで爺さん婆さん相手に投資詐欺の電話をかけ続けていたというわけだな。

「またアンタかよ証券マン。次邪魔したら覚悟しろって言ったろ」

「邪魔はしない。ただお前らの計画に加えてもらいたいと思ってな」

三田は一瞬目を見開いたが、すぐに曖昧な笑いで表情を塗り直す。

「は？　計画？　わけ分かんね」

「半グレグループの連中が、あちこちの小売店にアルバイトとして潜り込んでいて、何も計画がないなんてことないだろ」

「おい半田ぁ。お前こいつにどこまで喋った？」

三田に睨まれて、半田が「すみません！」と叫ぶ。

「ってかアンタもさぁ、そんだけの根拠で疑うの？　陰謀論者？　さっさと帰れよ」

「二〇〇〇年、Y社集団食中毒事件。あの事件の再現だろ。お前らがやりたいのは」

「いや知らねーよ。Y社が何だって？　名前は知ってっけど」

「知らばっくれているのか。本気で分からないのか。上場企業のY社が起こした大規模食中毒事件だよ。それを人為的に起こそうとしてるんだろ」

半田の話から推測して鎌をかけたが、「大規模食中毒」と聞いて三田の表情が強張った。

Y社集団食中毒事件。自己申告を中心とする数字では被害者数一万四七八〇名。Y社が公表する被害者数一万三四二〇名。いずれにせよ戦後日本最大規模の食中毒事件である。

経緯としてはまずY社の生産工場が停電し、タンク内の脱脂乳に黄色ブドウ球菌が異常繁殖、製造課長はそれを隠蔽し、毒素の残った製品がそのまま小売店に出荷され、食中毒に発展した。

大企業が起こした食中毒事件というだけで大ごとだが、世論を燃え上がらせたのはY社の隠蔽体質と上層部の責任逃れだろう。この事件に関するY社の記者会見は一時間程度で打ち切られ、会見延長を求める記者たちに社長が放った「そんなこと言ったってね、私は寝ていないんだよ」という言葉はY社の体質を象徴していた。今も動画サイトに当時の映像が残っている。

注目すべきは株価への影響だ。事件が報道される前日、六月二十八日のY社の株価は終値が六〇九円。翌二十九日に事件が報道されるも、その日の株価は六〇四円で終わり、市場への影響は小さかった。株価が大きく動くのはそれからである。事件報道後に食中毒被害の報告が相次ぎ、その事実がメディアを介して全国に広がった。七月二日にY社大阪工場が操業停止となり、五日には被害者数が一万人を超え、十一日には全二十一工場が一時操業停止となった。このときのY社の株価が四〇六円。その後も度重なる隠蔽発覚と責任逃れがメディアに取りあげられ、株価もじわじわと下がり、この年のY社株は一時三六九円まで暴落した。

当時の日本の乳業業界は三社による寡占状態であり、Y社はそのうちの一社だった。そんな大企業の株価が、一年で四〇%以上も下落したのである。

余談だが、Y社はその二年後にも牛肉偽装事件を起こし、株価は一〇〇円台にまで暴落している。さすがは大企業。溜まった膿の量は不祥事をおかわりできるほどだったらしい。

つまり、この半グレどもの計画というのは、乳酸菌飲料ヨグルトを取り扱うスーパーやコンビニに潜り込み、何らかの方法でヨグルトに菌でも混入させ、広域で食中毒事件を起こしヨグルトの株価を下げ、株の「空売り」によって儲けるというものではないか。

空売りとは、証券会社から株を借りて市場で売り、決済日までに株を買い戻して証券会社に返却する取引のことだ。通常、株取引は先に買って後で売るものだが、空売りは先に売って後で買う。空売りの場合、取引後に株価が下がれば利益を得られるというわけだ。しかし……。

「その計画、上手くいかないと思うぞ。いくつか問題点があるが、まず小売店で食中毒事件を起こしたところでメーカーの株価に影響を及ぼすほどの事態にはならない。事例を知らないのか？　Y社以外なら二〇〇七年に菓子メーカーF社の食品偽装事件、二〇一四年に大手ファストフードチェーンM社の使用期限切れ鶏肉混入事件、二〇一六年に食品メーカーH社のツナ缶ゴキブリ混入事件など、飲食料品を取り扱う上場企業の不祥事は何度も起きている。しかしいずれも株価への影響は限定的で、一時的に下落はするもののY社ほどのインパクトはない」

「……だ、だから、株とか言われても知らねぇって。そんな計画ねぇよ」

三田にはあえて伝えなかったが、二〇〇二年に起きた食肉商社S社と食肉メーカーN社の食肉偽装事件は、両社の株価を短期的に大きく下落させた。そういう意味では、こいつらの計画にも株価下落の可能性がなくはない。だが計画の不備を突いたほうが俺が入り込みやすくなる。

「じゃあ俺が一方的に話を続けるから、それを聞いた上でよく考えてくれ。お前らがやろうとしていることは小売店レベルでの工作だろ？　仮に大規模な食中毒事件を起こそうが、メーカーの工場で菌が検出されてサプライチェーンが止まらない限り、特定企業を狙った小売店でのテロとして扱われるだけじゃないのか。メーカーの株価が多少下がりはするかもしれないが、そこまで大きく影響するとは思えない」

三田は黙って俺を睨みつけている。

「他にも問題点はある。お前らは空売りするつもりなんだろうが、ある日突然、特定銘柄の売りポジションが膨れ上がったら怪しいもんだ。その後、対象企業の食中毒事件でも起きようものならほぼ確実にクロ。市場を監視している日本取引所自主規制法人が黙っているはずがない。お前らのやろうとしていることは明らかに相場操縦だ。簡単に捕まるぞ。そもそも相場操縦を抜きにしても飲料に菌を混入させるなんて犯罪だけどな。まだまだ問題点はある。たとえば」

「もういいっつーの！　うるせぇな！」

三田が怒鳴った。

「……じゃあ最後に。証券取引等監視委員会は『情報提供窓口』を設けている。相場操縦などの不正取引が疑われる情報は〝誰でも〟ここに通報できる。言ってる意味、分かるか？」

「まさかお前、妄想を通報するつもりか？」

「俺の考えが妄想かどうかは、あっちが判断することだ」

「……お前何がしたいんだよ」

「さっきも言っただろ。お前らの計画に加えさせてくれ」

「マジどうするよこれ……」

三田は頭を抱えて椅子に座り、下を向きながら貧乏揺すりして考え込み始めた。

しばらく無言だった三田はスマートフォンを取り出し、何やら文字を打っている。

「なぁ、あんた。明日、時間取れる？　うちらのボスと会ってもらうわ」

「ボス……？」

予感はしていたが、どうやらこの半グレグループを仕切っているのは三田ではないようだ。

半グレのボスか。普通に生きていたらまず会いたくない人種だな。

「分かった。何時にどこへ行けばいい？」

第8話

教祖様はスキャットマン

三田が指定した場所は、昔は「ヒルズ族」と呼ばれる者たちで話題になっていた町の、レンタルオフィスだった。ここに半グレグループの元締めがいるらしい。

正直なところ、俺はこの町で派手に遊んでいる連中が嫌いではない。成金は遊び方がちゃんと俗っぽくていい。自分の力で稼いだ金を、貯め込むのではなく派手にバラまいているのだから、むしろ立派というものだ。

まぁそれは置いておいて、半グレの元締めがいるというビルは、派手な表通りとは対照的にボロボロだ。いや、この町には老朽化ビルもかなり多いのだが、わざわざこんな物件を選んでいるあたり倹約家なのか。それとも単純に目立ちたくないだけか。階段で三階に上がり、いかにも「ボロ物件の内装をリフォームしました」という感じの、奇妙なほど明るい内廊下を進んでいく。

突き当りにある三〇六と書かれた部屋が指定の場所だ。ドアの前まで来たが、見張りらしき人間もいない。入ってしまっていいのだろうか。

軽くノックをすると、中から「入れ」と機嫌の悪そうな男の声が返ってきた。

「失礼します。義田という者です。本日はよろしくお願いします」

部屋はまるで白い箱の中のようだった。

一台のデスクと四脚のオフィスチェアがあり、奥にスクリーンが垂れているだけ。他には何も無い。それぞれの椅子に男が座っていて、そのうちのひとりは三田。あとの三人は知らない顔だが、位置関係からして中央に座っている男が元締めだろう。

中央の男は、半グレグループの元締めというには普通すぎる見た目をしている。唇にやや力がこもり真一文字気味ではあるが、三田やその部下たちと違って癖らしい癖も見当たらず「育ちの悪い人間」という印象はない。ハイブランドは身につけておらず、ファッションにも特徴はない。年齢は……童顔のせいもあって若く見える。二十代前半から半ばといったところか。

「…………」

集団に囲まれて暴力をふるわれることを警戒していたが、そんな様子もない。

全員、こちらを見たまま無言だ。明らかに警戒している雰囲気だが、わざわざここにまで呼んだのだから対話する気はあるのだろう。ここは俺から切り出すか。

「ここへ呼んでもらったということは、俺も計画に加えてくれるという認識でいいのかな？」

すると、三田でも元締めでもない男のひとりが叫んだ。

「おめぇが何とかってとこにチクるなんて言うから呼んだだけだっつの！」

「証券取引等監視委員会」

隣の小柄な男が言い添える。

「あ、そう。その証券なんとか会！」

小柄な男は深く息を吐いた。

「え、何そのため息。え、二宮、もしかして俺のこと馬鹿にした？　馬鹿にしたよね？」

「さぁ。でもそう思うならそうなんじゃないですか」

「お前マジでムカつく！　チビのくせに！」

「チビ関係ないでしょ」

「チビチビチビチビ！」

「ああああああ！　おめぇはプロゲーマーですかぁあああ!?　身長一六〇センチ未満は人権ないんですかねぇぇぇ!?　バカバカバカバカバーカ！」

ここで三田が耐えかねたように間に入った。

「一ノ関、二宮。今はそれどころじゃないだろ。この証券マンをどうするかって話をするんだから」

「っていうかさぁ、元はと言えばお前だよなぁ！　三田だよなぁ！　三田三田！　三田がドジ踏んでこんなことになったんだよ！　マジで馬鹿！　バーカ！」

「一ノ関……俺のせいなのは認めるけどさ、起きちまったことはしょうがないだろ。今はこれからのことを……」

「馬鹿ばっか！　俺より馬鹿じゃんお前ら」

「いやさすがにそれはない」

「いやさすがにそれはないです」

二宮と三田が同時にツッコむ。子供の喧嘩(けんか)か。

一ノ関と呼ばれた男は大柄で、顔つきは厳つく髪型はツーブロック、黒いTシャツに黒いパンツ、黒いシューズを履いている。この部屋の中では一番半グレっぽい風体だ。言葉遣いはかなり子供っぽく、身体を左右に動かしたり手遊びをしたりと落ち着きがない。どうやら「馬鹿」が口癖であり怒りのポイントでもあるようだ。いかにも知能が低そうなので、それこそ「地頭が良い」とおだてるのが効果的なタイプと見た。

もうひとりの二宮と呼ばれていた男は、多少理性的な話し方をするが、溜め息をつくのが癖のようで、声の出し方は常に不機嫌。他人の感情を逆撫(さかな)でしやすいタイプだ。背はとても低く、もしかすると一五〇センチもないかもしれない。自嘲気味に息を吐く癖は、自己肯定感の低い人間のやる行為だ。相手からしたら馬鹿にされているように感じるかもしれないが、あれは自分に向けられている。自覚がないのなら、これまで人間関係にさぞ苦労してきたことだろう。

「みっ……みっみっみっみっみっみっみっみっみっみっ」

突然、中央の男が口を開いて「み」を連呼し始めた。すると三人の男たちはすぐに口喧嘩を止め、中央に座る男の方を向いて静かに聞く姿勢を取った。

「みっみっみっ、みっみっみっみっみっ、みんな、なっなっなっ、なっ……なっなっなっなっ、なっなっなっなっ……なっなっなっ仲良く」

「「「はい‼　申し訳ございませんでした‼」」」

「一ノ関くん！　ごめんね！」

「いいよ！　二宮くん！　ごめんね！」

「いいよ！」

「三田くん！　ごめんね！」

「いいよ！　一ノ関くん！　ごめんね！」

「いいよ！」

……これはなんだ。

小学校時代、喧嘩した児童を教師が強制的に仲直りさせるあのやり取りを思い出す。大の大人が同じことをやると異様だが、これがグループのしきたりなのか。

この四人の中で、中央の男だけが王だ。そして、男の特徴を俺はようやく理解した。彼だけがずっと静かに座っていた意味も。

元締めの男は目の前のパソコンを打ち始めた。しばらくすると、画面をこちらに向けて文章を俺に見せる。「初めまして。四井と申します。お見苦しいところをお見せしました」と書かれていた。……そうか、この男は文章でコミュニケーションを取るのか。

文章を読んだ俺が頷くと、四井はまたパソコンを打ち始め、入力した文章を俺に見せた。

「あなたを計画に加入させることについてですが、まずあなたの目的を教えていただきたい。証券会社で働いているような人が、なぜこんな計画に？」

もっともな疑問だ。こいつらの協力を得るためにも、ここは嘘偽りなく話すとしよう。

「はっきり言うと、俺は投資詐欺をするために証券会社で働いている。その計画のためにそちらの計画を利用したい。もちろん、そちらの計画にも協力する」

それを聞いた四井は少し考えて、またパソコンを打ち、入力した文章を俺に見せた。

「どう利用するのですか？」

「お前たちは、ヨグルトの株価を暴落させるために工作するつもりなんだろう？　俺はそれを利用し相場を当て、今狙っている投資家たちの信用を短期間で獲得したい。信用を築いたら顧客に『証券会社から独立して投資顧問会社を立ち上げる』と言って回り、資産を架空の投資顧問会社に移動させ奪うという計画だ」

「奪ってどうするんですか？　それでリッチな生活をしたいということですか？」

「いや違う。俺は自分の生活水準を高めることに執着がない。金持ち連中から集めた金は、恵まれない人に丸ごと寄付するつもりだ。俺の手で富の再分配を実現する」

「まるで義賊だ」

四井はそう打ち込んだ。

「しかし、あなたひとりが数億円や数十億円規模の投資詐欺をやったところで、どこまで社会に影響があるというんですか？　社会へのささやかな抵抗に過ぎないと思えますが」

「……事を成し遂げた後、俺は捕まると思う。俺のやったことが全国で報道され、動機や主張がメディアを通じて拡散するだろう。真の狙いはそこだ」

「真の狙い？」

「格差の下側にいる人間は、格差の上側にいる人間を害することのできる職業がこの世には沢山あるということに気づくべきだ。包丁を持って町で暴れるくらいなら、家庭教師になって富裕層の家の中で暴れたほうがいい。歩行者天国にトラックで突っ込むくらいなら、高級ハイヤーの運転手になって金持ちと死のドライブでもすればいい。放火するにしたって基本的な知識もないからサラダ油なんかを使う奴が出てくる。専門知識を得られる職業に就けば、もっと効果的な放火ができるのに。ネットに怨嗟（えんさ）の書き込みをする時間があるなら、上級国民に直接攻撃できる職業の獲得に動いたほうが有意義だ。弱者の牙は、職業の獲得によって強者の首元に届く。俺はその実例を同じ弱者に見せたい」

「そこから連鎖的に革命が始まると？」

「そうだ。現に、俺はここまできた」

「思うところはありますが、それはあなたの問題なので言及しません。とにかくあなたの目的は分かりました。しかし、あなたをこちらの計画に加えるメリットは何でしょう」

「三点ある。一点目、俺は少なくともお前らより相場について詳しい。二点目、お前らの計画の問題点を指摘できる。三点目、俺を仲間に加えれば計画が通報されずに済む」

「二点目の、問題点とは？」

「お前らがやろうとしているのは、小売店が仕入れたヨグルトに菌でも混入させて広域で食中毒事故を起こし、ヨグルト株の空売りによって収益を得ようというものだろう？　しかし、過去の事例にもあるように、小売店で問題が発生しようがメーカーの株価にはさほど影響しない。メーカーの株価を暴落させたいなら、工場の操業停止など、サプライチェーンを止めるくらいのことをしないといけない。小売店での工作だけでそれを実現するのは困難だ」

「もちろん、ヨグルトの製造工場にもうちの者を潜り込ませていますよ」

「だとしても問題点はある。俺は以前、飲料メーカーの工場でバイトしていたことがあるが、まともな工場は意図的な食品汚染が起きないようフードディフェンスを徹底している。工場に入る際は決まった作業服に着替えるし、製造エリアは持ち込みも制限されている。そもそも仮に毒物の類を製品に混入させることができたとしても、製造工程で何度も行われる品質検査で必ず検知される。それに工場内にはカメラもあるから、余裕でバレる」

「バレることを前提とするなら、毒物を混入させることも可能でしょう？」

「仮に混入させても、検知されるから毒物入りの製品は市場に流通しないと言っているんだ」

「そうでしょうか。たとえば食品メーカーA社の農薬混入事件」

「……なんだ、あの事件を知ってるのか」

二〇一三年、食品メーカーA社農薬混入事件……上場食品メーカーM社の孫会社にあたるA社食品工場で働いていた契約社員の男が、食品に農薬のマラチオンを混入させ、それが小売店に出荷され消費者のもとにまで届いてしまったという事件だ。事態を知ったM社が回収した対象商品は九十品目、回収個数約六百三十万個、それによる特別損失は約五十億円を計上した。その中には、大手小売りAE社やS社のプライベートブランドも含まれていたという。その後、農薬を混入させた男は逮捕され、A社社長と持ち株会社M社社長が引責辞任した。

このように、上場企業傘下の企業でもフードディフェンスが徹底されているとは限らず、製品に毒物を混入させることも不可能ではないということが全国に知れ渡った事件だった。当然、食品メーカー各社がフードディフェンスの重要性を再認識したことは言うまでもないが、今でも不徹底な企業というのはあるものだ。

「ヨグルト製造工場にもA社くらいの隙があると？　ヨグルトほどの大企業なら、フードディフェンスも徹底されていると考えるのが自然だと思うがな。そもそも、あれほどの事件が起きてもM社の株価下落は限定的だった。あの程度の下げ幅じゃ空売りしても大して儲からない」

「おめぇさっきから計画馬鹿にすんなよ！　なんかやる気なくなっちゃうだろ！」

一ノ関が俺に詰め寄ってきた。馬鹿にするとかしないとかではない。この計画に穴があってはいけないのだ。

「しっしっしっしっしっ……ずっずっずっず、か……かっ…かかっかっかっかっか……に」

「はい！　すみません！」

一ノ関を制した四井はまたパソコンを打ち、文章を俺に見せてきた。

「メディアの力を使います」

「メディア……？　テレビか？」

「インターネットです」

「ネット？　具体的には？」

四井のタイピングは早い。受け答えも的確で、この男との会話にはストレスがない。

「そちらにいる一ノ関のチームでは、まとめサイトや動画チャンネル、ＳＮＳなどのネットメディアを組織的に運営しています。普段から週刊誌のようなゴシップも取り扱っていますので、炎上ネタを拡散させるノウハウは充分あります」

「それが、相場に影響を与えるほどの威力を持つのか？」

四井はパソコンを打つ手を早めた。

「ネットユーザーは情報の出どころや証拠、背景などにさほど興味を持ちませんので、与えられた表面的な情報がエンタメとして面白ければ、それなりに騒いでくれます。つまり『①ヨグルト社の工場で毒物を撒いた、または撒こうとして逮捕された者がいる』『②全国の小売店でヨグルトの食中毒被害が報告された』このふたつの情報が世に出回れば、実際毒入りの製品が流通したか否かは関係ありません。私たちの持つネットメディアで情報をエンタメとして面白おかしく拡散すれば、一定期間ネットに流行りを生み出すことができると思います。毒物混入が工場内で阻止されようが、品質検査に引っ掛かって製品が流通しなかろうが、情報①と情報②の繋がりをヨグルト社が隠蔽していると疑う者たちも一定数現れるでしょう。猜疑心は必ず生まれます」

「ああ、それは想像できる。過去から現在にかけて大企業の不祥事は数多くあったし、それには隠蔽がつきものだった。だから、そのやり方をすればヨグルト社の隠蔽を疑う連中は必ず現れるだろう。しかし、それはあくまでネットの中の話だ。コップの中の嵐に過ぎず、社会全体に影響を及ぼしはしないんじゃないか？」

「昨今は大企業の不祥事も、まずネットで話題になり、その後にテレビや新聞といったオールドメディアに拡散していくものです。義田さんはやや頭が古いようだ」

挑発的な言葉を四井は選ぶ。

「俺の古い頭では、それだけでヨグルト社の株価を落とせるとは思えない」

「さらに、私たちが持つ投資メディアも活用します。投資情報サイト、投資系YouTubeチャンネル、投資系オンラインサロンも複数運営していますので。そちらでヨグルト社の売り煽りを仕掛けます」

「俺はそういうのに詳しいわけじゃないが、それでヨグルト社の株価を操作することが……あ。……米国G社株のショートスクイズ」

「気づきましたか？　そう。G社株」

四井が真一文字に結んでいた口を少し緩めて、笑いの形を作った。

米国大手ゲームショップG社株騒動……二〇二一年、個人投資家が集まる米国ネットコミュニティにおいてそれは発生した。当時コミュニティ内で有名だった「R」というアカウントが、ヘッジファンドを敵視する個人投資家たちをSNSや動画サイトで扇動し、G社株に買いを集中させ、株価を大高騰させた。それによりG社株に空売りを仕掛けていたヘッジファンドは大損失を被り、最もダメージを受けたヘッジファンドM社は翌年ファンドを清算、閉鎖した。

この事件は「アマチュア投資家がプロ投資家に一矢報いた事例」として多くの金融メディアで報道された。しかし、実態は違ったのである。実はこの「R」というアカウントの所有者は、ブローカーライセンスを持つ公認証券アナリストで、最近まで大手生命保険会社で働いていたプロであることがのちに発覚したのだ。つまりこの事件の構図は「アマ対プロ」ではなく「プロ対プロ」の戦い、ネットのアマチュア個人投資家たちは、最初からプロ投資家に乗せられていただけだったのだ。ネットメディアを活用した現代の「仕手戦」というべき事例である。

ちなみに、首謀者のRは株価操作の疑いで集団訴訟を起こされている。本人は相場を操作しようとする意図はなかったと言っているらしいが、俺は九九％嘘だと思う。

Rはヘッジファンドを批判し憎悪を煽る一方で、昔ながらのビジネスモデルでゲームを販売するG社に対する好意的な評価を発信し続けた。それに倣うなら今回も、仮想敵を作り憎悪を煽る一方で何かを擁護すれば、ネットユーザーや個人投資家を扇動できるかもしれない。

「……だんだん計画に納得がいってきた。それで、仮想敵は誰で、擁護する対象は誰に設定するつもりだ？」

「そうですね。毒物混入を隠蔽しようとする悪辣な食品メーカーと、その株を保有する資本家たち。そして彼らに低賃金で労働力を搾取される弱者、という構図でいかがでしょう」

「ゴシップメディア上ではヨグルト社の隠蔽疑惑と食中毒被害を拡散し、懐疑の芽を育て、投資メディア上では〝敵〟に制裁を加えるために株価を落としてやろう、という方向に投資家たちを扇動する筋書きか」

「正義感で動く投資家より、『乗っかっておいたら儲かりそう』という理由で動く投資家のほうが多いとは思いますけど」

「小売店のヨグルトには、何をどう混入させる？　人員は数十人程度で足りるのか？」

「それは、私のほうで闇バイトを雇います」

俺と四井のやり取りを静観していた二宮が口を開いた。

「世の中には、金さえ積まれれば人殺し以外大抵のことをやってくれる人たちがいます。私はその仲介を専門としていまして、今回の計画に必要な人員も私が確保します。昨今はＳＮＳのおかげでだいぶ勧誘がしやすくなりました。人員は簡単に集められますよ」

「ＳＮＳで闇バイトの勧誘？　世も末だな」

「何仰っているんですか。とっくに末じゃないですか」

二宮が鼻を鳴らす。

「毒物混入の手順はこうです。集めた人員は、順次東京を中心とした関東圏の小売店に配置しています。ヨグルトに注入するのは食中毒事故の定番、黄色ブドウ球菌です。その液体を外径三四Ｇ……ああ、〇・一八ミリの細さの注射器で、小売店のバックヤードに積まれたヨグルトに注入してもらいます。この細さの穴なら液漏れもしにくいですし、バレにくいでしょう」

「バレにくいだけだろう？　小さな穴でもよく見れば分かる。気づく消費者もいるだろう」

「気づかないで購入する消費者もいるでしょう？　最初から数打って当てる方針なんですから、それでいいじゃないですか」

「……闇バイトの連中から情報が漏れる可能性は？」

しつこく追及する俺に、二宮は肩をすくめて溜め息をついた。

「自分の犯罪行為をわざわざ他人に言いふらす人間もそうはいないと思いますが、仮にそうだったとしても、この手の事件には陰謀論が付き物。自分がヨグルトに菌を混入させたとネットなどで自白したところで、面白いフィクションとして処理されるだけでは？　義田さんはちょっと細かいことを気にしすぎだと思いますが」

自分の担当箇所の不備を指摘されて劣等感が刺激されたのか、二宮は自嘲気味に鼻をフンと鳴らし、不機嫌な顔になった。自己肯定感の低い人間は、過剰反応を起こすからやりにくい。こいつに何かを指摘するときは、特に気をつけたほうが良さそうだ。

「計画の概要は理解した。ところで、お前らはどうやって空売りをするつもりなんだ？　ひとつの口座がいきなり巨額の売りポジションを取ったら、怪しすぎるが」

今度は四井がパソコンを打ち、文章を俺に見せる。

「証券口座は分散します。既に部下たちには証券口座を作らせていますし、これまでグループが稼いできた資金を彼らのＭＲＦに分散入金しています。信用取引の審査も通過済みです」

「ああ、そうか。お前ら一応、反社ではないから金融機関に口座作れるんだったな」

「どうでしょう。これならバレませんか？」

「……微妙だな。しかし今回は、仕掛けたお前ら以外の投資家たちも大勢巻き込むわけだし、首謀者はバレて逮捕される可能性もあるが、それに乗っかって株取引した奴らは無傷かもな。

たとえば二〇一五年のI社の事例がある。インサイダー情報を利用した仕手に多くの個人投資家が巻き込まれた。あのときに逮捕されたのは、I社の元社長と元常務だけだったはず」

「あとで調べておきます」

二〇一五年、I社架空取引・インサイダー取引事件。

精密測定機器等を製造・販売するメーカーとして一九八二年に設立されたP社は、二〇〇一年に当時のナスダック・ジャパン（その後ヘラクレス、現ジャスダック）に上場した。同社は二〇一〇年に持ち株会社となり、社名をP社からG社に変更。積極的なM&A戦略によって、旅行やアパレル、コンサルティングなど他業界に進出した。

二〇一三年十一月。社名をG社からI社に変更した翌月に問題は発生した。同社は突然「新規事業によって予想外の売上が九億円発生した」と発表したのである。いかにも胡散臭いこの発表は、後の調査で架空取引であることが発覚する。

証券取引等監視委員会は、二〇一四年にI社の調査を開始し、同年十二月に内部管理体制が不十分と発表。有価証券報告書に虚偽があったことから、二〇一五年に同社の株式は特設注意市場銘柄に指定され、市場参加者から警戒されるようになった。さらにその年、東京地検特捜部も動き、同社の元社長と元常務を金融商品取引法違反で逮捕。このとき元社長が売上の架空計上による株価操作やインサイダー取引、補助金詐取を企てていたことが明らかになる。

結局、その年の八月にI社は上場廃止となった。

さて、ここまではWikipediaにも載っている話。ここからが一般に公開されていない話だ。

I社の元社長と元常務はインサイダー取引などをやらかして捕まったが、インサイダーやそれに近いことをやっていたのはこいつらだけだったのか。答えは「否」である。

あの頃、証券会社に勤めていた人間たちなら知っているかもしれない。二〇一三年の夏の終わりから、急に「I社の株を買いたい」と口座を開設する奇妙な客が全国の店舗に現れたことを。もちろん証券会社側はその異変を察知していたが、客が「買いたい」と言うものを根拠もなく阻止するわけにはいかない。そうしてしばらくI社の株を全国の個人投資家が買い続けていたのだ。

急にI社の株を買い出す連中が全国に現れたのはたまたまか？　そんなわけがない。確たる証拠があるわけでもないが、おそらく彼らはどこかで情報を摑んでいたのである。

この件について詳細に報道しているメディアを俺は知らないが、実際の事象から推理するに、あれは誰かが仕掛けた仕手だったのだろう。では、そんな怪しい取引に乗っかった個人投資家はインサイダー取引や相場操縦で逮捕されたかというと、俺が知る限り逮捕されてはいない。逮捕されたのは首謀者だけだ。

株の仕手なんてバブル時代の話と思っている人間もいるだろうが、このように現代でも姿形を変えて似たようなことをする輩（やから）は存在する。

「つまりお前らは、過去に上場企業がやらかした不祥事や、投資家扇動を組み合わせたスキームで、ヨグルト社の株価を暴落させようというわけだ。それなりに相場の歴史を勉強していないと思いつかない、実際の事例に沿った手の込んだやり方じゃないか」

しかし、今のやり取りの中で大企業の不祥事が何個挙がった？　まったく大企業は……。

「ありがとうございます。プロにそう言っていただけて、確信を持つことができました」

四井が丁寧に礼を書き込んでくる。俺はひとさし指を立てた。

「だが最後に、一点だけ気になることがある。この計画は、誰かが逮捕されることが前提になっていないか？　特にヨグルトの工場に潜り込む奴らは……」

「そのとおりです。そのほうがいいんです。ヨグルト社で毒物を撒いた、撒こうとして逮捕された、という人間が現れれば、テレビや新聞で報道してもらえるでしょう？　インパクトあるじゃないですか。みんなヨグルト社の製品に不安を覚えるでしょう？」

「いや……まぁそうだが……。しかし逮捕されたい奴はいないだろう」

「闇バイトの人たちは逮捕されたくないでしょうね。だから彼らは主に小売店に配置します。工場に配置するのは僕たちの仲間だけです」

「いやいや、お前らの仲間だって逮捕されたい奴はいないだろうが」

すると、四井はパソコンに「そんなことないですよ」と打ち込んだ。

一体こいつは何を言っているんだ……？

四井のパソコン画面から一旦視線を上げて周囲を見渡すと、一ノ関も二宮も三田も、無邪気な笑みを浮かべて静かにこちらを見ている。

背筋が凍った。顔を見れば分かる。こいつらは最初から自分を犠牲にするつもりで、それに対して何の抵抗もないのだ。それでは半グレグループというより、まるで……。

「僕ね、親からアナウンサーになりなさいって言われて育ったんですよ」

四井が急に、よく分からない文章を書いて俺に見せた。

「ぼ……ぼっぼ、ぼっぼっぼっぼっぼっぼ、ぼっぼっぼっ、ぼっぼっぼ……っぼっぼく、あっあっあっあっあ、あっあっあっあっあっ……」

四井は喋ろうとして言葉が続かず、諦めたようにまた文章を打ち込んで俺に見せた。

「僕、アナウンサーになれると思います？」

「難しいだろうな」

「ですよね。だって、先天性で重度の吃音なんですから」

パソコンを打つ四井の手が、だんだんと早くなっていく。

「でも、僕の両親は治ると思っていたんです。改善のためのトレーニングをすれば流暢に話せるようになる、アナウンサーになれるって。色々な改善訓練を受けさせられました。間接法、直接法、どっちも試しました。でも無理です。僕はずっとこうです。でも、両親はそんな僕を認めませんでした。頑張れば、一生懸命努力すればどうにかなるって。無理ならそれは努力が足りないからだと言うんです。なんなんですかね。我が子が先天的な問題を抱えて生まれてきたという現実から、ずっと目を背けるんですよ。それで気合だ根性だ努力だと言い続けるわけです。そんな問題を抱えて生まれ、そういう育ち方をした人間って、屈折せずに生きていけますかね？」

「……難しいだろうな」

四井のタイピングはさらに早くなっていく。

「ですよね。だって学校でも浮くじゃないですか。僕が話し始めると、みんなまたかって目でこっち見ながら待つんです。僕の言葉が出るまでだるそうに待つ。人間関係築くのが難しくなります。べつに僕が悪いんじゃないですよね。こういう風に生まれたってだけで」

指がもつれるほどの早さで，四井は文字を打ち込む。

「屈折するたび嫌いな人間の種類も増えてくじゃないですあk。僕みたいに屈折しまくりの人間は大体の人間が嫌いなnです。学校もアルバイト先もハロワも派遣先もテレビつけてもSNSを見ても動画サイト見てもどこ見ても嫌いな奴らばっかりdす」

変換ミスが出てきたことで我に返った四井は、息を整え、落ち着いてパソコンを打ち始めた。

「僕の下に集まった人たちはですね、全員同じです。問題を抱えて生まれて、家庭内に居場所がなくて、社会にも居場所がない」

「つまりですね、僕たちは〝無敵〟なんです。逮捕されようが殺されようが、どうでもいい。とにかくひたすらこの社会に悪意をばら撒いて、人に迷惑をかけて、親を後悔させたい。でも、巨大な悪事のためには計画が必要でしょ？　組織が必要でしょ？　金だって必要です。だからこうして身を寄せ合って、協力して悪事を働いているんです」

「お前ら……半グレじゃなくて宗教団体だったのか」

「ああ、なるほど。そう感じたならそう思っていただいても構いません。似たようなものかもしれませんし。ＳＮＳって見たことあります？　僕たちみたいに社会を恨みまくってる人間、たくさんいますよ。生まれた瞬間から、あなたの言う格差の下側が定位置と決まっている人間が、そんな社会ぶっ壊れちまえと思うのって、そんなに不自然なことでしょうか」

……参ったな。この教祖様とは、思ったよりも気の合う部分が多そうだ。

第9話

この商品は絶対安全だし高利回りです

四井たち半グレグループ……いや、宗教団体と言ったほうが適切か。奴らの計画に加わってから数週間。俺は今、何の変哲もない民家の前にいる。

何度見ても、寺川市の地場大手スーパー創業者一族が住むには慎ましすぎる物件だが、家主が言うにここは別邸だ。

大量の蔵書に囲まれた書斎に入ると、木製のL字デスクに窓から木漏れ陽(び)がさしている。そこに座っているのが冨永幸夫という老爺であり、別名「勲章ジジイ」、俺がこれから詐欺を仕掛けるターゲットだ。

「冨永先生、本日も勉強させていただきます」

「義田くん。君は熱心な男だね」

冨永はひたすら自分の話を聞いてくれる俺のことを気に入ったらしく、この家に俺を招いたのも五回目だ。俺は一応、「町の文化や歴史について知りたい」という体で、冨永にお喋りする理由を与えている。話を聞くたび感嘆を繰り返す俺を見て、冨永は喋りに喋った。この男はとにかく自分のことをよく喋る。老い先短いからなのか、死ぬ前に自分の築いてきた歴史を誰かに伝えたい欲求にかられているようだ。日頃ここまで話を聞いてもらえる機会がないのかもしれない。だとするとなかなか寂しい老後である。いくら富を持っていても孤独か。

「冨永先生。実はひとつご提案がありまして」

「提案？　何かな？」

止めどなく喋る冨永の隙を見つけて、俺は本題を切り出した。五回目の訪問にしてやっとだ。

「実は、年内に証券会社から独立するつもりなのです」

「……ほう、起業か。どのような？」

「投資顧問業です。富裕層の皆様の資産をお預かりし、運用を代行いたします」

「よく聞くよ。私の知人にもそういった業者を使っている人間が何人かいる」

冨永は鷹揚に頷いた。俺は話を続ける。

「これまで寺川市で、富裕層の皆様の資産をお預かりしてきましたが、正直なところ、いくらかの罪悪感もありまして」

「罪悪感？」

　ここからは神妙な顔を作って話しておいたほうがいいだろう。

「ええ。証券会社といいますのは、その……取引手数料を随分といただいてしまうものでして。投資家利益を考えたとき、本当にこれでいいのかと、ずっと思っていたのです」

「確かに、君たち証券会社は他人の褌（ふんどし）で商売をしているわりに手数料を取りすぎる。では高い手数料分のリターンを約束してくれるのかといえば、そんなこともない。自分たちは何のリスクも負わず、リスクを負った顧客が損をしようが手数料だけはしっかりと取るね」

「耳が痛いですが、仰るとおりです。そういった問題意識は私も前々から持っておりまして、お客様第一の提案をするにはどうしたらいいかと考えた末、独立起業に至りました」

「なるほど」

「それに、申し上げにくいのですが正直なところ……収入も。現在、私は出来高制で働いておりまして、働き方としては個人事業主に近いのです。しかし私の収入は取引収益の三〇％。不満がないと言えば嘘になります」

「それは看板料だろう。大手証券会社の信用を借りて商売をする代金のようなものだ。まぁしかし、君のように富裕層を十分開拓した証券マンは、独立してそれらの顧客を自分のものにしてしまったほうが儲かるというわけだ」

「はい。お客様の利益を優先したいという気持ちに嘘はありませんが、自分の収入を増やしたいのも本心です。浅ましいかもしれませんが……」

「いやいや、気にすることはない。それは浅ましいとは言わない。利に聡いと言うのだ。それを批判するのは、無能の身でありながら嫉妬心だけは一丁前な人間だけだろう。私はむしろ好意的に思うよ」

「そう言っていただけるとありがたいです。……ところで、冨永先生はそういったものにご興味ありませんか？」

「ははは。これだけの資産を持っていて、運用に興味を持たないわけにはいかないだろう」

「銀行ですか？　それとも既に投資顧問会社に？」

「主に銀行のウェルス・マネジメントだな。証券会社も利用していなくはない」

「失礼ですが、運用利回りはどれほどでしょう？」

「なるほど。君の立ち上げる投資顧問会社で、私の資産を預かりたいと言うんだね？」

「はい。できることならば……」

「君は学歴のわりには聡明のようだし、この町の文化や名士の功績についても理解のある男だとは思う。しかし商売となれば話は別だ。特に、取り扱う商品が金そのものとなるとね」

「当社であれば、年間利回り一〇％のパフォーマンスを着実に出せると思います。手数料は、その一〇％を超えた収益から二〇％をいただきます」

「年利回り一〇％を超えなかったら？」

「そのときは、手数料も無料です」

「なんとも破格の条件に思えるが」

「ええ。相場を〝絶対〟に予想できますので」

「絶対……？」

〝絶対〟という言葉を聞いて、冨永は露骨に訝しんだ。確かに、いかにも怪しい話である。俺がこの土地で十年以上働いている大手証券会社の人間でなければ、まず間違いなく相手にされないような提案だ。しかし、俺の話す内容がどれだけ怪しかろうと、俺の築いてきた信用がそれを覆い隠す。きっと、あの大詐欺師マドフもそうだったのだろう。

「義田くん、そういう言い方は好きではないな。過去にもいたよ。どこかの投資会社の人間が、やたらと強気で『儲かる』と断言するのだ。しかし、相場の世界に〝絶対〟などあるものか。〝絶対〟を約束する人間こそ信用ならないなんてことは、相場の世界だけではない、ビジネスの世界共通の常識だろう？」

「ええ、〝普通は〟そうですね」

「……含みのある言い方をするね」

「来月から再来月にかけて、ヨグルト社の株価が暴落します」

「ヨグルト社？　それは飲料メーカーの？」

「はい」

「随分、具体的な予想じゃないか。それはどういった根拠で？」

「これは冨永先生のことを考えて申し上げますが、予想の根拠についてはお伝えできません。むしろ冨永先生は何も知らない方がよく、〝こういったリスク〟は資産運用を代行している業者が〝勝手に負う〟のが最も都合が良いのではないかと思います。そうすれば〝何か〟が起きたとしても、お客様にご迷惑はおかけしません」

「…………」

冨永は椅子の背もたれを軋ませ、何かを考え始めた。

こういった仕事をしているとよく目にする光景だが、人は金が絡むと態度まで変わる。先ほどまで和やかにコミュニケーションが取れていた相手ですら、金の話となれば表情が変わり、黒目の動きが早くなり、顎に手をやったり腕を組んだり彼方を見たり、息遣いまで違ったものになる。これら防御や警戒の態度こそが、投資勧誘の世界における〝脈アリ〟の態度なのである。自分の大事なものを誰かに託すかどうか考えているときの人間の動きなのだ。

冨永は今、間違いなく俺の提案を検討している。

「……いや、せっかくの提案だが、今回は止めておくよ」

「そうですか。残念です」

「一度、その予想の結果を見せてもらいたいね」

「つまり、予想どおりであれば……？」

「検討してもいい」

「ありがとうございます」

「確かに、相場の世界に〝絶対〟などというものはない。一方で、特別な条件下で〝絶対〟が起こり得るかもしれない。矛盾しているようだが、一流の知性とは、ふたつの相反する考えを併せ持ち、そのどちらも機能させ続けられることだ」

「フィッツジェラルドですね」

「そう。一貫性や、矛盾していないことにのみ囚われている人間は、端的に言って知性に欠ける」

「それでは、今後のヨグルト社の株価をお楽しみに。もし予想どおりの展開となりましたら、その際はぜひ、息子さんやお孫さんも……」

「ああ。いいだろう。ところでこの件について、私は、何も聞いていないよね？」

「ええ。本日は寺川市の文化と名士の功績についてお話を伺うことができまして、大変勉強になりました」

こいつへの種まきは完了した。さて、次の富裕層に当たっていこう。

＊　＊　＊

次のターゲットは、寺川市に複数の物件を持つ不動産会社オーナーの中田老人だ。

俺は、冨永に対するものと全く同じ提案を中田にした。

「うーん……投資顧問会社ね。私はあんまりそういうのは……」

「すぐにとは言いません。私の相場予想の結果を見てから考えていただければ。投資顧問会社を立ち上げるのはまだ先ですし」

中田は、以前寺川銀杏会で会ったときとは全く異なる態度で俺の話を聞いた。あの頃は労働者を見下すかのような言動だったが、どういう風の吹き回しか。

「ところで義田くん。聞いたよ、君は冨永先生と懇意なんだって？」

なるほど、そういうことか。冨永との関係を耳にし、俺を無下に扱えなくなったのだ。

人の繋がりに関するこいつらの耳の早さときたら……いや、だからこそ資産を長いこと守れているのだろうが。

「懇意、と申し上げていいのかは分かりかねますが……ただ、最近お話をする機会が多く、勉強させていただいております」

「そうか……うん、若いのに冨永先生から認められるとは大したものだ。思えば初めて君を見たときから、光るものを感じていたよ。そうかそうか、私の直感は当たっていたな」

銀杏会では俺に一瞥もくれなかったくせに、都合のいい直感だ。しかし、こいつの変わり身の早さは俺にとっても都合がいい。

「実は……これは秘密にして頂きたいのですが」

「うん、何かな？」

「私、冨永先生にも同じご提案をしておりまして」

「え、先生も君のところで資産運用を？」

「あまり具体的なことは申し上げられませんが。ただ、ご提案はいたしました、とだけ」

「そう……か。いや、しかし君は随分と先生の信用を勝ち取ったものだなぁ。参考までに、どうしたのか教えてくれないか？」

「そんな。ただ冨永先生の知見を拝聴しているだけに過ぎません」

「知見を拝聴？　うーん……つまり企業秘密ということか」

どうとでも都合よく受け取ってくれ。

すると、中田は急に俺のほうへ身体ごと向き直った。

「実はうちの会社、息子の代になってから物件の稼働率が落ちていてね。息子は自社のテナントにスーパーTOMINAGAを呼び込めないかと考えているみたいなんだよ。私も寺川銀杏会の繋がりで何度か冨永先生とお話をさせていただいているんだけど、いつものらりくらりとかわされていてね。もう現場から退いて息子に経営を任せているからと仰るんだが、違うんだよ。確かにTOMINAGAの社長は先生の息子さんだが、実権を握っているのは会長である先生ご自身なんだ。どうにか話をつけることができないものか……」

この中田という老人、労働者を見下すような態度でいたわりに、自分もまだまだ働いているではないか。悠々自適な老後生活を送っているように見せかけて、息子をサポートするために寺川銀杏会で営業活動とは恐れ入る。

考えてみるとそれは冨永も同じか。資産を持ち、労働生活からあがったように見せかけてずっと働いている。資産を守り次代に継承するにも、それなりの努力は必要ということか。

「実は私の投資顧問会社に、会員制コミュニティを設ける予定なんです」

「会員制コミュニティ？」

「ええ。ゴルフやパーティーなど、会員同士が交流できるイベントを用意するつもりです。同じ投資顧問会社を利用する人間同士、寺川銀杏会よりお近づきになりやすいかと思いますが」

「な、なるほど。そういうやり方もあるか」

「しかし、息子さんのためとはいえ中田様も大変ですね。将来的にはお孫さんへの継承も考えなければいけないでしょうし」

あの資産を食いつぶすしか能のないボンボンクソニートだ。しかし、その話題になると中田は急に俺から目をそらした。

「孫……？　ああ、いやまぁアレは……いや、何でもない」

なんだ？　引っかかる言い方をする。

「それより、投資の件は考えておくよ」

「ご検討よろしくお願いいたします。これからお孫さんとのアポイントがありますので、これで失礼させていただきます」

「ああ、ありがとう」

ありがとう……？　やはり妙な言い方をする。


「義田さん！　俺回復して！　回復！」

「はい」

一階のオフィスで中田老人と商談をしたあと、今は最上階で孫と接待ゲームをしている。

それにしてもこの孫は、四六時中ゲームをしているわりに腕が上がらない。

「……義田さん、じいちゃんに会ったんでしょ？」

「え？　あ、はい、先ほどまで」

「何か言ってた？」

ゲーム画面から目をそらさずに訊いてくる。俺は少しだけ考えるそぶりをした。

「何か……？　そうですね、商談を除けば特別なことはありませんが、お祖父様は和樹さんのことを大変に思いやられていると感じました」

「思いやり、ねぇ……。でもさ、俺は期待はされてないんだよ。じいちゃん、親父には滅茶苦茶厳しくて、勉強もビジネスも叩き込んだから、親父は優秀でさ。Ｔ大卒だし大手不動産デベロッパーに就職して、それから家業の不動産会社を継いだわけ」

「それは、凄いお父様ですね」

うん、と和樹は頷く。

「親父もじいちゃんもエリート。俺はクズだけどね」

なんだ自覚はあったのか、とはここでは言えない。

「これでもさぁ、俺も最初は厳しく教育されたんだよ。塾にもいっぱい通わされて、家庭教師もつけられて。小学受験もしたよ。でも全然ダメ。落ちこぼれなんだ」

「そんなことは……」

「いや、そうなんだよ。で、大学受験失敗してからかな。親父とじいちゃんが俺に強く言わなくなったのは。アレってさ、諦めてんだよね、もう」

大型液晶テレビに「ＹＯＵ　ＬＯＳＥ」の文字が浮かぶ。コントローラーを握る手を下ろし、和樹はこちらを見た。

「義田さん、〝ギリ健〟って言葉知ってる？」

「いえ……」

「〝ギリギリ健常者〟の略なんだって。健常者との間のギリギリにいる人のこと。俺の知能指数、テストしたんだけど七十五なんだってさ」

黙ってて聞くより他に選択肢のない話題だ。

「境界線にいる人間って健常者扱いされるんだけど、そんなのが健常者の世界で成果出すなんて無理ゲーなんだってば。だから受験も就活も全然ダメ。経営なんて絶対無理。お情けでうちの不動産会社で働かせてもらってさ、最初は俺も頑張ろうと思ったよ。でも俺、喋るのはわりと普通なのに、いざ仕事するとミスしまくるんだよね。すげー馬鹿みたいなミスするの。いや実際馬鹿なんだけど。義田さん、俺ゲームも滅茶苦茶下手っしょ」

「いえ、そんなことは……」

「いいよ、分かってるから。で、会社で働けば働くほど周囲に迷惑かけるって分かったんで、こうして仕事中もゲームしてるのが、一番周囲のためってわけ。親父の跡を継ぐのも俺じゃないだろうね。……俺、誰からもまともに相手にされないんだよ。親族だけじゃないよ。職場でもアンタッチャブルな存在だし、昔からずっと友達いないし。ネトゲの中ですらわりと嫌われてるっぽい。義田さんくらいかなぁ、友達なんて」

ははは……と寂しげに笑う。

ボンボンクソニートなりの悩みがある。だが、経済的に恵まれた環境に生まれ落ちた人間が持ちそうな悩みでもある。マズローの理論で言えば、こいつは生まれながらにして生理的欲求や安全欲求が満たされている状態だ。それらが満たされているからこそ、他者から受け入れられないことや承認されないことに不満を感じている。

贅沢な悩みだ。格差の上側に生まれてなお不幸ぶっているのだから度し難い。自分がどれほど恵まれているかに無自覚なのだ。普通の人間はそれでも働かなければ生きていけないのに。

「義田さんは、これからも俺とゲームしてくれるよね？」

「ええ。もちろんです。友達ですよ、私たちは」

爺さんから金を奪い取ったら、こんな虫唾の走る甘ったれとは二度と会うまい。

＊　＊　＊

次のターゲットは教育ママの村田だ。息子が中学受験に成功し、桜色のエリート街道を走っているこのタイミングがチャンスと見た。

「そうですか、独立ですか」

「ええ。今度立ち上げる投資顧問会社なら、証券会社よりも安い手数料でお客様の資産をお預かりできます。相場の見通しにも自信があります」

「義田さんなら信用できますし、お願いしたいと思います」

あっさりと内約がとれた。

「ありがとうございます。会社を立ち上げるのは、今年の夏から秋頃になるかと思いますが……」

そのとき、誰かがどこかのドアを閉める音がした。

「今日は、旦那様がお休みの日でしたか？」

「え？　あ、いえ！　今の音は息子だと思います。今日は……風邪で学校を休んでいまして」

「そうですか。五月ともなると気温差も激しいですからね。お大事になさってください」

「ええ……あ、ありがとうございます」

息子の風邪程度で随分と狼狽するものだ。教育意識の高い親というのは、健康意識も高いものだから始末におえない。入学後はこれまでと環境が変わるのだから、心身への負荷もそれなりにあるだろう。風邪くらいひいてもおかしくはない。過保護すぎるのだ、この母親は。

まぁいい。とにかくこのおばさんは俺を信じきっており、旦那が一生懸命稼いだ大金を預けてくれるだろう。その事実だけが重要だ。しかし別に俺に大金を奪われたからといってこいつらの生活が破綻するわけでもない。大企業役員の旦那は変わらず働いているし、息子は受験に成功してエリートルートに乗っている。

何の悩みもない恵まれた人間の金を、ちょっと頂戴するだけのことだ。

＊　＊　＊

次のターゲットは美術品愛好家の金井だ。今日も新しく用意した〝ゲージュツ〟を俺にお披露目してくる。

「義田くん。この絵は知っているかい？　最近画商から購入したんだ」

「キリコの『ヘクトールとアンドロマケー』ですね」

「……真作だと思うかい？」

金井という男は、俺に美術品を見せてはいつも試してくる。

この絵の真作は国内の美術館にある。だからこれは真作ではない。しかしそんなことを金井が知らないはずもないから、この問いの意図は別のところにあるのだ。……まぁ、キリコを使うということは、だいたいの意図も察しがつく。

「真作は国内の美術館にありますので、こちらの絵は出来の良い贋作（がんさく）だと思います。しかし、キリコは古典的作風に回帰した後期になって、若い頃に自分が描いた前衛的表現の作品を贋作と切り捨てた逸話があります。私が思うに、金井様は何かしらの意図があって、贋作であることが明らかな前期のキリコ作品を、あえて飾られているのではないかと」

「君は本当によく分かった男だね。そうなんだ。キリコは当時、評価を受けていた自分の作風を捨てた。つまり、自分の成功体験、成功パターンを捨てたのだ。世間から評価を受けていた作風のまま画家人生を歩んでいれば、晩年を汚すこともなかったのに」

「確かに、古典回帰後のキリコ作品は、形而上絵画時代に比べて評価が低いですね」

金井は腕を組み、何度か小刻みに頷いた。

「人は成功し続けると、成功に飽きてうんざりするものだ。自分への評価に対しても冷笑的な気持ちになり、酷いと公に自己批判までする。成功体験にすがることを醜いと考え、それを捨てて新しい自分とやらを模索し始めるのだ。……でも、それがいけない。浅慮な成功者や成功などしたこともない凡夫が考えそうなことだ。私たちはもっとシンプルでいい。一度成功パターンを見つけたら決して手放さず、その後もずっとその成功パターンを踏襲すれば勝ち続けられる。そこから敢えて逸脱しようという人間は、愚かだ」

「私は金井様ほど『成功』について詳しくはありませんが、仰るとおりかと思います。多様性が尊重される時代になりましたが、それは無軌道な生き方が放置される時代とも言えるでしょう。成功方法などというものは、時代によって具体的なレベルでは多様なパターンがあるように見えますが、抽象的なレベルでは少数の普遍的なパターンしかなく、そこに多様性などありはしない。そのあたりを錯覚し、従来の成功方法を否定して、無軌道に生きようとする人間たちの増えた現代へのアンチテーゼ、ということでしょうか？」

ははは、と金井は自嘲気味に笑う。

「そう捉えてもらってもいいが、私はあくまで自らへの戒めと考えているよ」

戒め……？　お前は現在の立場を捨てようと考えたことがあるとでもいうのか？　先祖から継承した力を恥も外聞もなく振りかざし、成功者を気取っているお前が？　先祖の力にすがっている自分に葛藤を抱いたことがあるとでも？　自己欺瞞も甚だしい。お前は先祖から継承したその成功パターンを捨てることなんてできない。

「それで、今日は何かな？」

「はい。実は年内に証券会社を退職し、投資顧問会社を立ち上げる予定でして。その報告に参りました」

「辞める？　となると、帝日証券の担当者が変わるということになるのだね」

「そうですね。残念ですが」

心にもないが、俺は名残惜しげな顔をしながらそう言った。すると金井は眉根を寄せて唸る。

「うーん……君ほど話の分かる男はいないんだよ。銀行の人間も、証券会社の人間も、保険会社の人間も、不動産会社の人間も、どいつもこいつも芸術というものにまるで理解がない。私が何を見せても何を問うてもトンチンカンな反応をするだけでね」

「私も、金井様のコレクションを拝観することがいつも楽しみでしたが、これからは帝日証券の人間ではなくなりますので……」

「投資顧問会社と言ったか。ならば、私の資産をそちらに預けることもできるのでは？」

「もちろん、金井様さえよろしければ、お預かりさせて頂きます。実はそのご提案もさせていただこうと思って参りました。手数料率も低くなりますので、どうか」

「ではそうしよう」

「よろしいのでしょうか？　まだ具体的なことは何も……」

「いい。君とは付き合いも長いし、信用している」

「ありがとうございます。誠心誠意、資産を守らせていただきます」

「ああ、これまでどおり頼むよ」

金井は自分の関心事に理解を示してくれる話し相手を欲している。俺のような存在を手放すはずがないとは思っていたが、思ったよりも判断が早かった。

「では、すまないがそろそろ失礼する。これから地域のボランティアがあってね」

「いつもの清掃活動ですね」

この金井という男は、慈善家……いや〝偽善家〟である。十分な富を持った人間は、次に名声や名誉といったものを欲しがるらしい。金井も例外ではなく、寺川市の清掃や障害者支援、児童支援などに積極的で、多額の寄付もしている。

ずるいではないか。合格のかかった筆記試験、人生のかかった就職面接、社運を賭けた商談、明日の飯、来月の家賃……そういったものに脅えずに済むのであれば、誰だって心の底から世界の平和を願えるだろう。町に落ちているゴミを拾い、恵まれない人間を支援するような精神状態にだってなれるだろう。毎日流れてくる悲しいニュースに心を痛め、自分にできることは何かないかと考えもするだろう。

圧倒的な余裕があれば、心の底から善人ぶることもできる。金井の善行は豊かであるが故の偽りの善行。つまりは〝偽善〟だ。

仮に、こいつから資産を全部引っ剝がして収入源も奪ったらどうだ。顔から血の気が引いて、穏やかな笑顔はなくなり、表情は焦燥と劣等感で歪み、社会や他人など知るか、まずは自分の生命だ飯だ金だと浅ましい言動をするに違いない。ネットで他人の足を引っ張ってみたり、飲食店の店員に八つ当たりするくらいなら可愛いもんだ。悪けりゃ犯罪だってするだろう。

結局、人間なんて薄皮一枚の下に善も悪も内包していて、そのどちらがどの程度表出するかは各人の豊かさ次第なのではないか。こいつは豊かであるが故に善を演じることができるが、貧しくなれば悪にでもなるだろう。それを試す方法がないことだけが残念だ。恐らく俺はこいつから多額の金を奪うが、それだけでこいつが破滅することはないのだから。

＊　＊　＊

「義田先輩、最近、外回り滅茶苦茶多くないですか？」

いつもの駄菓子屋の店先で、後輩の下柳が言う。

富裕層の連中をまとめて投資詐欺に嵌めるため、ここ最近ずっと駆けずり回っていたからな、とはさすがに口に出せないから、おれはあいまいに答える。

「既存顧客のフォローもあるし、大口の新規開拓も進んでいるんだ。忙しくてな」

「マジっすか？　大口開拓っすか？　誰っすか？」

下柳は食べ終わった焼きそばのソースのついた紙皿に割り箸を叩きつけ、食いつくように聞いてきた。並びの悪い歯には青のりがついている。

思えば投資詐欺を完遂したら、この駄菓子屋ともおさらばか。長く世話になったものだ。

「スーパーTOMINAGAの会長」

「えぇ、マジすか……地元じゃ有名な会社じゃないすか。そういうレベルのお客さんって、プライベートバンキング部門とかが担当するんじゃないんすか？」

「それは証券会社によるな。うちの場合、上場企業オーナーならPB部が担当するが、非上場企業オーナーなら規模が大きくてもリテールが担当する」

「あ、そうなんすね。しかしすげぇなぁ……TOMINAGAの会長ってどんな人です？」

「それは……誰にも言うなよ？」

はい、と下柳が元気に答える。

「営業マンに勲記を読ませてマウンティングしてくるクソ野郎」

「え？　勲記って、勲章のやつですか？」

「そうだよ。『日本国天皇は、冨永幸夫に、瑞宝重光章を授与する。皇居において璽をおさせる』って読まされた」

「えぇ……引きますねそれ。そんな人いるんすね、金持ちなのに」

「金持ちだからって人格まで立派とは限らない。そもそも、資産運用を積極的にやっている連中は不謹慎なことを考えまくっているじゃないか」

下柳は小首をかしげる。

「え？　不謹慎？　どういうことですか？」

「仮にどこかで大震災が起きたとして。または未知のウイルスが蔓延したとして。あるいは国同士が戦争を始めたとして。それらに影響を受けるようなポジションを取っている資産家たちは何を考えると思う？　『売る』か『買う』か『持つ』かだ。ポジションを取っていない資産家たちはもっとタチが悪い。『さらに酷いことが起きて、相場が著しく下落してくれないか』『いつが買いどきか』なんてことを考えている。いずれにしろ奴らは、他人や他国がどんな目に遭っていようが、復興や平和のことよりもまず自分の資産のことを考える。保有資産が多ければ多いほど資産運用に対する当事者意識も強くなるのだから、金持ちなんてのは日常的に不謹慎なことを考えているに違いないんだ」

「い、いや義田先輩……？」

「シモ、東日本大震災が起きた日の株価、知ってるか？」

「え？　いや、詳しくは知りませんけど……でもめっちゃ下がったはずですよね？」

「そうでもない。地震が起きた時刻は十四時四十六分、東証の大引け直前だ。震災の情報もまだよく分からなかったし、何よりパニックだった。だから3・11当日の株価は、やや下落した程度だったんだよ。その後、ニュースで津波や原発の状況が報道されただろ？」

「あ、はい。あれは見てて辛かったっすよね……」

「株価が急落するのはそこからだ。株価が下がるってことは、誰かの株取引が成立していたってことだ。誰かが売って誰かが買っていたってことだ。あんな悲惨な震災の最中ですら、資産家って生き物は株の売り買いに精を出していたってことだよ。ニュースで原発の状況を見て、津波で流されている家を見て、被災者の姿を見て、日々増えていく死亡者数を見て、目の前のパソコンでポチポチと。あるいは金融機関と電話でコソコソと。きっと『地球に巨大隕石が落ちる』ってときでも、奴らは株や為替取引をするよ。絶対にする。そういう生き物なんだ」

「よ、義田先輩……？」

俺がまくし立てたせいか、下柳は驚いた顔のまま固まっている。

そう言えば、俺はいつもこういうことを内心では思っているが、会社の同僚に話したのは初めてだ。相手が俺と共通点の多い下柳だから口が滑ったのだろうか。それとも、投資詐欺計画が動き出し気持ちが昂っているのだろうか。まぁ、俺と似たような生い立ちの下柳なら、あの手の人間の醜悪さをいずれ分かってくれるだろう。

「……シモ、お前も金持ち連中とたくさん付き合うようになったら、いずれ分かるよ」

「は、はぁ……」

詐欺のための種まきは完了した。あとは半グレどもの計画だけだ。

第10話

信用スノーボール

「じゃあこれな。半田、頼んだぞ」

「は、はい……」

旧ＪＯＳＹＯアセットマネジメントのオフィス。

三田から黄色ブドウ球菌の入ったボトルと注射器を手渡され、半田はやっと現実味が湧いてきた。自分はこれから、アルバイトとして潜入しているスーパーの飲料にこれを混ぜるのだと。飲んだ人間は食中毒を起こすのだと。

今さらやっとそのイメージが頭に浮かび、「これは大変なことではないか?」と思い始めた。

「……三田さん、これ、人が死んだりしないんですよね？」

「それは心配ない。腹壊したりゲロ吐いたりするだけだって二宮が言ってた。ヨグルトに注入する量だけ気をつけろよ。大丈夫だと思うけど」

「は、はい……」

「店の奴らにも見つからないようにな。バックヤードはカメラが少ないから、どうにかなんだろ」

「本当に死んだりしないんすよね……？」

「半田ぁ。お前どうした？　もしかしてビビってんの？」

明らかに消極的な半田の様子を見て、三田は静かに優しく言った。

「半田？　ビッグになりたいんだろ？」

「は、はい……」

「この仕事が成功したら俺達は莫大な利益を得る。もちろんそれはお前にも分配される。人も死んだりしない。ただちょっと腹が痛くなったりするだけだ」

「は、はい……」

「そもそも考えてみ？　俺たち日本の若者が辛い思いしてるのはどうしてだ？」

「……老人が、金を貯め込んでるからっす」

「そうだよねぇ？　老人たちはさぁ、貯め込んだ金で株とかやってんだよ。〝シホンカ〟ってやつよ〝シホンカ〟。自分たちは働きもせず、俺ら若者から労働力を〝サクシュ〟してるわけ。日本っていうのは自分勝手な老人によって腐らされているわけよ」

「は、はい……」

「お前に俺たちの計画を具体的には話せねーけど、とにかく今回は、その資本家連中に大ダメージを与えて俺たちが利益を得るってやつなの、分かる？　老人は敵、資本家は敵、だからお前がやることは『良いこと』だよ。社会のためになる正義の行いだよ。倒そうぜ、日本の癌を。そのために、多少腹痛くなったりする奴が出るのは仕方ねーって。必要な犠牲ってやつだよ」

「は、はい！」

「よーし！　それじゃ俺がいっちょ手本見せてやる！」

そう言って、三田は手元のヨグルトに注射器で黄色ブドウ球菌を注入し、それを飲み干した。

「ああっ！　何やってんすか三田さん！」

「いいんだよ、最初からこうするつもりだったから。これで俺は間違いなく食中毒を起こす。症状が出たら病院に電話して、救急車で運ばれて、医者に言うんだよ。『ヨグルトを飲んだ』って。きっと病院は保健所に通報してくれる」

「い、いやでも……」

「今さら自分の身体に気を遣ったところで、どうせ長生きなんてできない。俺は病気でとっとと死ぬんだ。信じられるか？　前途ある若者がさっさと死んで、生きてても何の意味もない老人どもはゾンビみたいに生き続けるんだぜ？　おかしいよなぁ？」

「は、はい！　おかしいです！」

三田の病を薄々知っている半田は涙目だ。

怒りの根源はここだ。三田の、永らく生き延びた老人に対する容赦のなさは、自分の命の灯火がじき吹き消えることを知っている男の、羨望の裏返しでもあった。

「だから嫌いだよ老人って。なんで俺は死ぬんだよ。なんであいつら生きてんだよ」

「三田さん……」

「どうせ死ぬなら、意味のある死に方をしたい。ワンチャン、俺はこれで死んでもいい。これも社会のためだ。必要な犠牲なんだよ。俺やお前だけじゃない。今日、あちこちで同時に兄弟たちが行動を起こすんだ」

「三田さぁん……！」

三田は半田の肩をかき抱いた。

「頼んだぞ半田！」

「はい！　お、俺、行ってきます！」

目に涙を浮かべて外へ出ていく半田を見届け、三田はヒロイックな気分に満たされていた。

三田は四井の信奉者であり、四井のためならば何でもする。そんな彼にとって、計画のための自己犠牲はむしろ名誉なのだ。

じきに三田の身体には異変が起きるだろう。しかし、そのときにも彼の顔は恍惚としているに違いない。

＊　＊　＊

◇六月十五日　水曜日

梅雨の晴れ間に感謝しながら、歯を磨きつつテレビをつける。

証券業界に入ってから日課で毎朝見ている相場番組によると、ドル／円はついに一三〇円を突破したらしい。この円安はまだ続くと予想される。

経済新聞の朝刊を開くと、今日もヨグルトの集団食中毒事件の記事が載っている。

暗いニュースはいつものこと。人が死んでいないのだから、まだましというものだ。

スーパーやコンビニのヨグルトに菌が混入され始めたのは二週間ほど前。〝奴ら〟が決行したその日には特に報道はなく、ヨグルト社の株価も動かなかった。

最初に騒ぎ始めたのはネットのＳＮＳだ。匿名アカウントによる食中毒被害報告が相次ぎ、「ヨグルト食中毒」のワードがトレンド入りしたが、それでも株価はさほど動かなかった。

ＳＮＳで話題になってから、動画サイトやまとめサイトなどのネットメディアが動き出し、ついにはテレビや新聞も食中毒被害に関する報道を開始した。ヨグルト社の株価は徐々に落ちていくが、暴落というほどでもない。

五日前、ヨグルト社の工場で黄色ブドウ球菌を撒き散らした複数の男たちが、二週間前に逮捕されていたという報道があった。逮捕された男たちの顔写真の中には、座川市の投資詐欺業者の一味など、どこかで見たことのある顔も混ざっていた。

彼らの供述によれば、犯行理由は「低賃金で工場労働を強いるヨグルト社に対する恨み」によるものらしい。恐ろしい話もあったものだ。

ヨグルト社は製品への混入はないと発表しているが、現に小売店で食中毒被害が発生している中、それを信じてくれる消費者はいないようだ。ヨグルト社は点検のため一部生産工場の稼働を停止するとも発表した。まともな食品メーカーらしい賢明な判断だが、残念ながらそれが疑いに拍車をかけた。その日の株価はストップ安をつけてくれた。

ＳＮＳでは低賃金で工場労働を強いられていたらしい犯人たちに対する同情の声もあがっており、最低賃金を上げろとか、ブラック企業を撲滅しろとか、無敵の人を生み出すなとか、それはそれでひとつのトレンドとなっている。

ところで俺は最近、動画サイトやＳＮＳで「投資系インフルエンサー」なる者たちの情報を見るようになった。身元不確かな彼らは日々相場についての見通しを発信しており、人気投資系インフルエンサーともなれば、その発信内容は数十万人、数百万人に拡散されていく。最近は流行りのヨグルト株について触れる者も多く、一部の過激な投資系インフルエンサー曰く「ヨグルト株は売り」だそうだ。

彼らの発信は少なからず個別銘柄の相場に影響する。米国の大手ゲームショップG社株の騒動もそうだし、国内でも二〇二一年四月に、相場操縦で投資系インフルエンサーが逮捕された。

正直、俺にはどのメディアやインフルエンサーが四井たちの手先なのか見分けがつかないが、もはやどうでもいい。ヨグルトの株価は二週間で約二五％も下落した。この事実だけが重要なのだ。いくらかの犠牲者は出ただろうが、それもどうでもいい。

朝から晴れやかな気持ちになるニュースを見た。このネタを使って、今日も仕事をするぞ。

まずはお前だよ、勲章ジジイ。

＊　＊　＊

「見事、君の予言どおりになったというわけだ」

勲章ジジイこと冨永幸夫は、人差し指で顎鬚（あごひげ）を撫でながら、何か言いたげに上目遣いでこちらを見た。

こいつはもう、俺が何かしらの方法で相場操縦をしたことに気づいている。気づいてはいるが、それを口にすれば犯罪行為を黙認したことになるので、知らない体でいるのだ。

とはいえ何にも気づいていない無能とは思われたくないので、こうして目で「お前が何かやったことは気づいているぞ」と俺にアピールしているのである。プライドの高いことだ。

「次回はどの銘柄が動くのかな？」

「申し訳ありませんが、これ以上は企業秘密です。ただ、今後も様々な銘柄の動向を〝予言〟できるとお約束いたします」

「これ以上は、そちらに資金を預けない限り秘密というわけか……」

冨永は、俺から話を聞いて何かしらのリスクを察知したらしく、先月から今月にかけて急に飲料のラインナップを見直し、ヨグルトを店に陳列しなかった。

「もしまた飲食品関係に動きがあるときは、先に教えてもらいたいね。知ってのとおり、私たち一族はスーパーを経営しているものだから。ヨグルトの件は驚いたけど、最近〝たまたま〟うちのスーパーでは取り扱っていなかった。まさか食中毒だなんて、危ないところだったよ」

そう。おかげでスーパーＴＯＭＩＮＡＧＡのグループ内では食中毒が起きておらず、競合他社だけが被害を被っている。憎たらしい男だ。

「さて、君の投資顧問会社は年間運用利回り一〇％と言ったかね？」

「その程度であれば着実に。実際にはそれより多くのリターンを得るつもりです」

「手数料は、年間利回り一〇％を上回った分の二〇％だね？」

はい、と俺は力強く応じる。

それを聞いた冨永は、また椅子の背もたれを軋ませて顎鬚を親指の腹で触りつつ考え始めた。

こいつが運用委託を検討しているのは間違いないが、問題はいくらを預けてくるかだ。一千万円や二千万円じゃつまらない。

「……そうか。ではひとまず私個人で五億。息子の口座で三億、孫の口座で一億を頼みたい。君との取引は初めてだから、いきなり大金を預けるわけにはいかない。上積みするかは今後の実績次第だ。いいかね？」

「あ……ありがとうございます」

いわゆる「詐欺」というものを初めて成立させてみたが、不思議なものでこの感覚は既に経験したことがある。こいつは今、合計九億円を俺に預けると言った。その金額を耳にしたときの高揚感は、証券マンとして巨額の商談を成立させた瞬間と似ていたのだ。例えるなら、俺の嫌いな人間が底の見えない穴を覗き込んでいて、そいつの背中をポンと押して穴に突き落とすような。それと同じ快感が、確かに今、俺の身体に走った。

しかし九億円という金額は冨永からしたら大金ではないらしく、想像以上に軽いノリだ。

俺からすれば穴に突き落としたつもりでも、こいつからしたら試しに洞窟の入り口に立ってみるようなものなのか。

では、今後はもっと金を出してもらおう。できることなら、こいつが破滅する日まで。

「振込は、こちらの法人口座にお願いいたします」

株式会社銀杏投資顧問、と書かれた口座の書類を、俺は冨永の机に置く。

「寺川市にお住まいの皆様から大事な資産をお預かりいたしますので、この会社名にいたしました。勝手ながら寺川銀杏会にあやかりましたが……冨永先生、一点お願いがございまして」

「何かな？」

「私はまだ帝日証券に勤めております。証券会社のルールで副業は禁じられておりまして、在職中に投資顧問会社を立ち上げるのも当然禁止です。投資勧誘など以(もっ)ての外。ですから、今回のご案内については、その……」

そこで、冨永は鷹揚に頷いた。

「今回の勧誘については、帝日証券にバレないようにしないといけない、ということか」

「はい。そうしていただけると助かります。まだ他のお客様にもご案内したいと考えておりますので」

「顧客の引き抜きが終わるまで、証券会社を辞めたくはないというわけだ」

「ご明察です。ご協力いただけますでしょうか？」

俺の身勝手ともいえる提案に、冨永は機嫌よく乗ってきた。

「正直、私にとってそのあたりはどうでもいいことだ。君の勤め先に報告する理由もない」

「感謝いたします。それではお手数ですが、手続きの書類にご記入いただけますでしょうか」

俺はスーツの内ポケットから燻銀軸のペンを取り、ペン先を出して冨永に渡した。

「金融機関はこれだから……良く言えばキッチリしている、悪く言えば杓子定規だな」

「申し訳ございません。法令で定められておりますので。少々お時間を頂きます」

これらの書類も全て俺の自作。実態はなくとも事務手続きは金融機関らしくしなければならない。この金融機関特有の煩わしさや仰々しさを演出することも信用獲得に必要なのである。

「手早く頼むよ」

「ええ。お任せください」

＊　＊　＊

その週に参加した寺川銀杏会の立食パーティーは、明らかにこれまでと違うものだった。今まで俺に一瞥もくれなかったような人間が、隙を見ては近づいてくるのである。

「初めまして。私は玉川と申します。帝日証券の義田さん、ですよね？」

「義田です。初めまして。もしかして、駅の南側にある玉川病院の先生でいらっしゃいませんか？」

「ああー、ご存知でしたか」

「ええ、もちろんです」

地元で三代続く病院を証券会社がマークしないはずがない。こいつの経営する玉川病院は、他の金融機関で私募仕組債を保有しているらしく、法人としては資産運用に積極的だ。

それにしても、代々医者の家系とは気に食わない。親が高い金を払って塾に通わせ、医学部に入れ、子供は高給職に就き、こうして医療法人を継ぐ。まさに格差継承の典型だ。

「噂を耳にしたのですが……冨永先生と懇意にされていらっしゃるとか」

「そうですね。非常に良くしていただいております」

「その……実は私、銀行を利用しているのですが、運用成績が芳しくなく……。こういう話は証券会社の方にお伺いするのがいいのかなと。義田さんは大変魅力的なご提案をしてくださるとかで」

さすがに耳が早い。俺が冨永の資産を預かっていることを知って、それに倣って自分も一枚噛んでみようというわけだ。権威主義的な人間が考えそうなことだな。

「つまり、私の投資顧問会社に運用を委託したい……ということでしょうか？」

「話が早くて助かります。何やら、利回りはかなり高いとか？」

冨永のジジイはどこまで喋っているんだ？　あまりにもお喋りだとそれはそれで困るな。

「ええ。年間利回りは最低でも一〇％。実際にはそれ以上を狙って運用を行う予定ですが」

「そうですか。では私も……」

この魚は明らかに餌に食いついているが、こういうときは慌てて竿(さお)を上げるより、一旦待つのがいい。その方が釣り針が深く刺さる。

「いえ、お待ちください。大変申し上げにくいのですが……」

「なんでしょう？」

「本当に申し上げにくいのですが、弊社はどなたの資産もお預かりするというわけではないのです。私がお声かけしたごく一部の信用できる方々のみを対象としておりまして、後はせいぜい既存のお客様からご紹介のあった方のみ、お取引させていただこうかと」

「紹介、ですか……。何か、例外的に取引を認めていただけないのでしょうか？」

「誠に申し訳ございません。私も自分の運用に自信がありますし、だからこそ一部のお客様から信用を得てご資産をお預かりしているのですが。規模や収益を追求し取引先を増やしすぎると、証券会社の二の舞いになってしまいます。私はただ、私が大事にしたいと思う、ごく少数のお客様の利益だけを追求したいのです」

「それは……立派な理念だと思いますが、では一億ではどうですか」

いえ、と俺は目をそらしてみせた。

「二億では？」

「……他にもお断りした方々がいらっしゃいますので、玉川様だけを特別扱いしたのでは申し訳が立ちませんから」

「私の妻の分も含め、合計三億でいかがでしょう」

そろそろ釣り竿を上げるか。

俺は戸惑いつつも意を決したような表情を作り、玉川を見た。

「……そこまで仰るのでしたら仕方ありません。ただし、誰にも言わないでくださいね？」

「ええ、言いませんとも。ありがとうございます！」

「それでは後日、口座開設のためお伺いいたします」

「ご足労おかけします。義田さん、今後ともよろしくお願いします」

「こちらこそ、よろしくお願いいたします。何度も言いますが、他言無用で」

他言無用と念押ししても、どうせ噂は漏れ伝わる。広告宣伝はそれくらいがちょうどいい。

米国史上最大の投資詐欺を行ったバーナード・マドフは、自分のファンドについて大々的な宣伝は行わず、新規顧客の開拓にも消極的で、ごく一部の限られた人間のみから資産を預かっていたという。マドフは資産運用を委託しようとする者からの申し出を断り続けたが、それでも委託したいという人間だけ「他言しないように」という条件付きで特別に受け入れた。このやり方がマドフのファンドのブランドイメージに繋がり、多くの人間を惹きつけたのだろう。

全く、マドフは天才である。これが凡百の詐欺師であれば、目先の金に目が眩んで誰の金でも受け入れたに違いない。しかし、そんなことでは大きな詐欺はできない。

「……初めまして。義田さんですよね？　あの、少々ご相談したいことが……」

また新しいカモがやってきた。金は金を生むものだが、それは信用も同じだ。信用力があれば信用力のある顧客との取引が可能になり、そういった事例を見聞きした者たちがまた勝手に信用を寄せてくる。金と同様、信用も雪だるま式に増えていくのだ。

「初めまして。義田です。どのようなご相談でしょう？」

この詐欺は軌道に乗った。

寺川市の富裕層から金を集めるのに、長い時間はかからないだろう。

＊　＊　＊

帝日証券寺川支店三階。ここが僕――細田の働くフロアだ。

僕は総務として働いているが、これでも証券営業を二年経験した。その経験から言わせてもらえば、証券会社の営業マンは優秀であればあるほどクソ野郎だ。

コンプライアンスの穴をついて高齢者にリスク商品を購入させたり、禁じられている短期売買を促したり、都合の悪い内容を顧客履歴に残さなかったり……そういう行為を平気でやるような人間が多額の収益をあげ、優秀であるとされ、上司や会社から評価され、出世していく。

その一方で、ルールを守って営業活動をしていた僕のような人間は、営業から外される。なんだこれは。営業とは法律違反コンテストなのか？　馬鹿馬鹿しい。

だから僕は正す。そんな間違った証券会社の営業現場を。今日も奴らの書いた顧客履歴をパソコンでチェック。取引履歴をチェック。電話内容をチェック。違反はないか？　矛盾はないか？　ミスはないか？　目先の収益欲しさに浅ましい行為をしている営業はいないか？

僕が特に気に入らないのは、義田というＦＡ職の男だ。こいつは寺川市で働き続けて十一年、うちの総合職は顧客との癒着を防ぐために数年に一度異動するが、ＦＡ職は同じ土地でずっと働き続ける。そんなのが不正の温床にならないはずがない。

しかし、こいつは不正の証拠を残さない。顧客履歴も取引履歴も電話内容も不自然なところばかりなのに、決定的な証拠だけがない。本人を問い詰めてものらりくらりとかわされ、営業課長に報告しても庇(かば)われ、顧客に確認しても尻尾を摑ませない。

明らかに不正な取引をしているはずのこの男が、うちの支店では〝できる営業〟として扱われ、支店長も営業課長も一目置いているというのだから、気持ち悪くて仕方ない。

それに比べて僕の扱いはなんだ？　これだけ毎日熱心にパソコンで営業の行動をチェックして頻繁に報告もあげているというのに、営業には嫌われ、総務課長にすら「細田くん、ほどほどにね」と言われる始末。

収益を生み出していないからと間接部門を軽視するのは、証券会社の本当に悪いところだ。会社というのは営業だけで成り立っているわけじゃないだろうが。

僕だけは諦めないし、流されない。きっと義田の不正を暴いてみせる。

「ん？　なんだこれ」

何気なく義田の取引履歴を確認すると、投資信託を売却し、その売却資金をＭＲＦに残したままにしている顧客口座を発見した。義田の書いた履歴には「景気不安のため投資信託を一旦売却し、次の投資機会に備え資金をプールしたいという要望が顧客からあったため」とある。

……不自然だ。おそらくこの取引は顧客からの要望ではなく、義田が裏で売却するよう案内しているのだろうが、そこまではいい。これまでも義田がやってきた常套(じょうとう)手段だ。不自然なのは売った後のこと。義田は顧客の資金を遊ばせたままにするような男ではない。商品売却後の資金で、必ず別の商品を買わせてきた。なのに今回は、売却後の資金をＭＲＦに置いているだけ……？　新たな商品を案内した形跡もない。

義田の他の顧客の取引履歴を確認してみると、先ほどと同じように資金をＭＲＦにプールさせている口座がいくつもヒットした。全て最近の取引だ。明らかに今までにないパターン。

顧客の保有商品を売却させ、その資金を口座に置いたままにすることに何の意味が？　後日まとめて別の金融商品を案内し、刈り取る予定なのか？

「……あの男、何を考えているんだ」

第11話

退職って超気持ちいい

「ここを……押せばいいんでしょうか」

フレームに宝石のついた老眼鏡ごしに、老婦人はスマートフォン画面を凝視する。

「ええ。そこの『売却』というボタンを押していただいて……はい、ページが取引確認画面に移ります。下にある『確認』のボタンを押していただければ」

「このボタンですね。押して大丈夫でしょうか？」

「ええ、押してください」

「押しました」

俺はにっこりと笑いかけた。

「これで売却完了です。お金は後日ＭＲＦに入ってきますので、受渡日になりましたらご連絡いたします」

「いつもありがとうございます、義田さん。私、パソコンとかスマホとか疎くて……」

「いえいえ」

また一件、顧客の資産を売却させることに成功した。支店を通すと面倒なのでネット口座で顧客自身に発注させている。金融商品を売却した後の資金は証券口座に残る。それを後日、俺の投資顧問会社の口座に送金させ、奪い取る計画だ。

「義田さんの投資会社、手数料も安くて利回りもいいんですよね？」

「そのとおりです。証券会社はどうしても多くの手数料をいただいてしまいますが、私の投資顧問会社であれば、安い手数料で運用できます」

「えっと……振り込み先は」

「こちらの法人口座へお願いいたします。また後日、ご案内いたしますので」

銀行口座というのは振り込みや引き落とし金額に制限がある。たとえば一日あたり二百万円までとか、一ヶ月あたり一千万円までといったように。この制限のせいで詐欺で集めた資金が巨額であるほど資金移動に時間がかかり、その間に銀行口座を凍結される恐れがあるのだ。

だからカモたちの振り込み先は分散させる。カモグループＡには銀行Ａ、カモグループＢには銀行Bと、振り込み先を複数の銀行に分け、集めた金を短期間で引き出したり振り込んだりするのが詐欺業者の常套手段だ。

身内で噂が回るのが早い寺川銀杏会の連中には「株式会社銀杏投資顧問」の口座に金を振り込ませたが、帝日証券で俺が担当する顧客たちには、予め用意した八行の法人口座のうちのひとつを振り込み先として提示している。なお、この八つの法人口座は〝購入〟したものだ。ほとんどの人間は知らないが、銀行の個人・法人口座は売買されている。市場で販売される銀行口座はまともではないビジネスにとって都合が良く、特殊詐欺グループがよく購入している。言うまでもないが、銀行口座の売買は違法だ。

「利回り一〇％を超えない限り手数料が〇円だなんて、それで会社は成り立つんですか？」

「相場の見通しには、絶対の自信がありますので。手数料に関しては、むしろ証券会社が取りすぎなんですよ。正直なところ、伊東様にはこれまで申し訳ないと思っていたんです」

「そんなことありませんよ。義田さんには本当にお世話になってきましたから。その義田さんがファンドとかを立ち上げるなら、ぜひお任せしたいです」

おっとりとした老婦人に、

「ありがとうございます」

投資詐欺の提案よりも、高揚感を隠すのに苦労する。俺が帝日証券の看板を利用し長年かけて築いた顧客の信用、長年かけて集めた顧客の資産を、ついに刈り取るのだ。

寺川銀杏会の連中からの振り込みはもう済んでいる。その上さらに、帝日証券の顧客の資産をネットで売却させ、詐欺用の法人口座に一斉送金させる。合計で一体いくらの金が集まる？

このおばさんは労働なんてしたことがない。企業経営者の旦那が死に、旦那が保有していた多額の有価証券を相続しただけで資産家になった人間だ。本来であればパートにでも出てその賃金の範囲で慎ましく生活をしているべき人間が、ただのラッキーで多額の資産を相続し、配当を得て豊かに生活をしている。

なんだそれは。働いていたのは旦那、苦労したのも富を築いたのも旦那だ。なのになぜ、その富を今お前が持っている？　働きもせずのうのうと生活している？

俺は『金銭の発生する労働を一切経験したことのない専業主婦』という寄生虫が嫌いだ。生きていくためには金銭が必要なのにもかかわらず、こいつらはその金銭の獲得に対して当事者意識を持ったことがない。親か旦那か、自分以外の誰かの経済力をあてにして生きている。自分の力で金銭を獲得し、自分の人生を成り立たせようという気概の欠片もない。まさに寄生虫だ。その上、声高に家事の苦労を叫ぶような連中は最上位の恥知らずだ。

おばさん、あんたは寺川駅前のコンビニに行ったことがあるか？　あそこでは、あんたとさほど歳の変わらない夫婦が、毎日労働しているよ。体調を崩しながら安い金でな。労働なんて経験したこともない手の綺麗さに、俺は辟易（へきえき）としている。

そんな金持ちから奪い取った金を、恵まれない人たちに再分配しようというのだから、気持ちが昂らないはずがない。やっとこのときが来たのだ。

「……義田さん？　どうしました？」

「え？　あ、いえ」

落ち着け、俺。もう少しだ。もう少しで俺の計画は成就する。

＊　＊　＊

支店の二階に戻ると、営業課長の上村と総務の細田が何やら話し合っている。というより、細田が一方的にまくし立て、それを上村が険しい顔で聞いているという感じだ。

ふたりはデスクに戻った俺を見て会話を止めた。俺のことを話していたのか。細田が俺のコンプライアンス違反疑惑を突くのはいつものことだが、それなら上村の反応はああならない。

……まさか、勘付かれたか？

「義田、ちょっといいか？」

「はい」

上村のデスクに向かう僅かな時間で思考を回す。

確かに俺は最近、顧客資産を売却しすぎている。それらは顧客自身にネット口座で売却させているから、俺から売却案内をした証拠はないが、取引履歴が不自然であるのは間違いない。

そのことに総務の細田が気づいたのか……俺としたことが焦りすぎた。上手い言い訳を考えなくては。

「あ、細田さんは外していただけますか？　私と義田のふたりで話し合います」

上村が言うと、細田が「え、どうしてですか⁉」と目の色を変えた。

「いや、これは営業内の話なので」

「上村課長！　コンプライアンス違反の恐れがあるのですから、私も立ち会うべきです。ふたりで話し合って事を収めてしまうつもりですか⁉」

「細田さん、外してください。また後で報告にあがります」

「……隠蔽は許しませんからね！」

周囲の視線が集まる中、細田は苦虫を嚙み潰したような顔で三階に帰っていった。

コンプライアンスチェックを担う総務とはいえ、課長相手によくあそこまで言ってしまえるものだ。やはりあいつは頭の線が切れている。

「義田。最近、顧客の資産を随分と売却させてるな」

「課長、それは顧客がネット口座で自主的に……」

「俺は総務じゃないんだ、営業同士、腹を割って話そう。客注に見せかけて資産を売却させているな？」

「……はい」

「……何が狙いだ？」

上村は完全に俺のことを疑っている。

「まさかお前……」

上村の顔はみるみる険しくなっていく。

顧客にネットで保有商品を売却させるのは、俺が以前から行っている常套手段だ。近年の証券会社は規制が強まっており、例えば投資信託の短期売買を証券マンから顧客に案内することは原則禁じられている。しかし、顧客がネットで〝自主的に〟投資信託を売却し、〝自主的に〟別の投資信託を購入するのであれば、それを止めることは証券会社にはできない。

それを利用して、証券マンが顧客に水面下で商品提案し、ネットで〝自主的に〟売買注文を出してもらうという方法が横行している。注文の際に支店を通さずに済むので、そのほうが証券マンにとってコンプライアンス上、都合が良いのだ。

だから上村も、俺が顧客の保有商品を売却させていること自体は問題視していないはず。俺を疑うのは、商品売却後の資金をＭＲＦに置いたままにし、次の商品を買わせていないからだろう。それについて理由を作らなければ……。

「義田……まさかお前、独立してＩＦＡになるつもりじゃないだろうな……？」

「……へ？」

「ＩＦＡになるそのために顧客の株や投信を売却させて現金化し、後で自分のところに振り込ませようって魂胆じゃないのか……？」

「…………」

ＩＦＡとは「Independent Financial Advisor」の頭文字を取ったもので、日本語に訳せば「独立系ファイナンシャル・アドバイザー」のことだ。証券会社に所属せず、個人事業主として証券マンと同じビジネスを行う者のことである。証券会社で働くよりも取引収益から得られるインセンティブが大きいため、昨今は証券会社を辞めてＩＦＡになる者が増えている。営業成績が優秀な証券マンであるほど、ＩＦＡの魅力は大きいのだ。

たとえば、俺はこの帝日証券でＦＡ職として働いているが、俺が得られる報酬は顧客の取引収益の三〇％。一方でＩＦＡの場合、取引収益の六〇％前後を報酬として得られると聞いたことがある。そりゃ、証券会社から顧客を引き抜いてＩＦＡに転身する証券マンが後を絶たないわけだ。噂によると、ＩＦＡに顧客を引き抜かれすぎて支店が潰れてしまった大手証券会社もあるとか。

どうやら上村は、俺がＩＦＡに転身するため顧客の引き抜きを図っているのではないかと疑っているようだ。勘違いだが、当たらずといえども遠からずではある。……まぁ、顧客の引き抜きまでは想像できても、さすがに投資詐欺をしているとは思いもしないか。良識的社会人の想像力には限界がある。

「……課長、来月、大型の投信募集が来るんですよね」

「え……？　あ、ああ。そうだな」

「絶対、販売に苦労すると思いましてね。私、嫌なんですよ、販売ノルマで支店の雰囲気が悪くなるの」

　すると、険しかった上村の表情がするするとほぐれていく。

「……つ、つまり、来月の投信販売に向けて、予め資金をプールさせていると？」

「そうです。それ以外ないでしょう？」

「……だとすると、お前これ……来月の支店の投信ノルマをひとりで全部やれる規模じゃないか」

「まぁ、そうなりますね」

「…………」

　さすがに言い訳が苦しかっただろうか。上村は下を向いて無言になった。

「え……えらい!!」

「え……？」

　上村はいきなり顔を上げた。瞳が潤んでいる。

「まさかお前がそんなに献身的だったなんて！　ひとりで支店の投信ノルマを埋めるなんて、思いついても実行できる証券マンがどれだけいる!?　お前は偉い！　凄い！　あー良かった！　正直、来月の投信ノルマ心配だったんだよ、地獄になると思ってたんだよ！　管理職の俺だって嫌だよ、職場の雰囲気悪くなるの！」

「は、はい……」

「ありがとう義田！　君のような人間を課に持てて俺は幸せ者だ。来月の投信、頼んだぞ！」

「はい。お任せください」

……悪いな課長、俺、その頃にはこの会社辞めてるよ。俺と俺の顧客抜きで、地獄のノルマ頑張ってくれ。

＊　＊　＊

「半田ー、集合」

旧ＪＯＳＹＯアセットマネジメントのオフィス。

三田は半田を呼び出し、爽やかな笑顔で次の命令を伝えた。

「次はコレだ。前のバイト先のスーパーはもうフケたろ？」

「そ、そりゃそうですよ……マジでヤバいことなってましたもん、食中毒で……」

「うんうん。じゃあ次は、別の町のスーパーかコンビニに潜り込んで、この飲料に同じように黄色ブドウ球菌を……」

「ま、またやるんすか⁉」

半田は叫びながら二歩後退りし、両腕を脇にぴったりとくっつけ、手を固く握り、哀願するような顔で三田の足元を見た。恐ろしくて三田の顔を見ることはできないが、これ以上はやりたくないと明確に意思表示したのだ。

半田は三田から「俺たちは兄弟だ」とずっと言われてきた。半田も三田のことを兄だと思っている。半田には親から愛情を注がれた記憶がないが、自分と三田の間にはそれがあると信じている。だから、兄である三田の命令に背いたことはこれまで一度もなかった。他の兄弟たちの中にもそんな者はひとりもいなかった。

だが、三田を信じた兄弟のうちふたりが逮捕されてしまった。自分のやったことは、自分が想像した以上に大変なことなのだと、テレビのニュースを見てやっと理解した。

恐ろしくてまだ三田の顔を見ることはできない。しかし、半田は「これ以上やりたくない」と無言で三田に主張した。

「……半田ぁ？　どうしたんだよ急に」

三田は部下を諭すとき、いつも優しい声をゆっくりと出す。半田は今日ほどそれを怖いと思ったことはなかった。

「北島と山口が逮捕されたことをまだ気にしてるのか？　いや、それはふたりの覚悟に対して失礼じゃないか。あいつらは俺たちのために工場にバイトとして潜入して、菌をばら撒いてわざと逮捕されたんだぞ？　最初から逮捕されるつもりだったんだよ。そこまで含めて計画のうちだったんだ。ふたりはそれを承知で行った。……俺は感動したなぁ。兄弟のためにあそこまで犠牲になれるなんて、あれこそ〝絆〟ってやつじゃないか」

下を向いたままの半田の肩に、三田の手がそっと触れる。

「でもお前にそこまでやれとは言ってないだろ？　小売店にバイトとして潜り込んで、コレを飲料にちょちょいと混ぜてくれればいいだけだ。ヘマして証拠を残さない限り、捕まることはない」

「嫌ですよ！　もう嫌です！　嫌です！　嫌だ！」

「落ち着けよ半田ぁ」

「落ち着いてたらおかしいですよ！　これやっぱダメなことですよ！　俺……俺マジで後悔してますよ！　俺なんでこんな馬鹿なんだろ……なんで……うっ、うう……」

半田はその場で泣き崩れた。

どうしてこの事態になる前に気づけなかったのか。食中毒で苦しむ被害者を見て、自分に良くしてくれた職場の社員が顧客にひたすら頭を下げる様子を見て、兄弟の中に逮捕者が出たのを見て、テレビで大々的に食中毒事件が報道されたのを見て、半田は自ら犯した罪をようやく理解できた。少し先のことも想像できない頭の悪さが悲しくて、申し訳なくみっともなくて、涙が止まらなかった。

「おいおい半田ぁ意味分かんねぇよ。どうして急に泣く？　やってくれるよな、次の〝仕事〟」

「で、でっ、できないす！」

「マジかよオメー。兄弟裏切るのか？　他の兄弟の犠牲を無駄にすんのか？」

「も、もうできないっす‼」

「あ、おい！　待てコラ！　途中で抜けられると思うんじゃねぇぞ‼」

グチャグチャに混乱した頭のまま、半田はオフィスを駆け出た。

全力で外を走っていると、次第に三田からの命令は聞こえなくなった。

＊　＊　＊

◇七月十六日　土曜日

月曜日が海の日だから、今日から三連休だ。

帝日証券の連中も、休日中なら顧客の資金移動に気づくことはない。俺の詐欺用口座に資金を一斉送金させるなら、この連休が最大のチャンスだ。

余談だが、先日元総理大臣が銃撃されたらしい。上級国民を害するためには、確かな準備とスキルが必要であることがよく分かる事例だった。町で突発的に暴れても、何も成すことはできない。

事を成した男は今後、一部の人間からの支持を集め、象徴的存在となるだろう。模倣者も現れるかもしれない。そういう意味では俺の計画と似ている。

さて、俺も自分のスキルを発揮しようではないか。

「村田様、休日中にお時間を頂きありがとうございます」

「義田さんこそ、土日も働かれて大変ですね」

いつもすました顔をしている教育ママの村田だが、今日は少しやつれているように見える。夏風邪でもひいたか？先日訪問した際は、息子が体調を崩していたな。

「息子さんの体調はもう？　先日、具合が悪かったようでしたから」

「え？　ええ……まぁ……」

妙な反応だ。息子のことを聞かれたら、いつもならペラペラと教育のことを話すのだが。これはあまり触れないほうがいいかもしれない。

「そうですか、安心しました。それでは早速ですが、先日の件についてご案内いたします」

出金処理はスマートフォンの操作ですぐに終わった。銀行口座と違い、証券口座からの出金には一日あたりの限度額がなくていい。これで帝日証券の口座にあった村田の資金は一旦、本人の登録銀行口座へ振り込まれる。それを後日、俺の詐欺用口座に振り込んでもらうだけだ。

「ありがとうございます。それではまた銀行から――」

そのとき、「ドンドンドン」という音が天井から聞こえてきた。

「息子さん……ですかね。少し私の声が大きかったのかもしれません。お勉強の邪魔をして申し訳ありません」

村田は口を引き結んで、痛みに耐えているような顔をしている。

「……村田様、何かありましたか?」

予感があり、つい好奇心で聞いてしまった。

「……実は、中学校の勉強で少し自信を失くしたようで……周囲も勉強のできる子たちなので、一学期の中間試験の結果が芳しくなく……そのあたりから徐々に学校も休みがちに……。先日、期末試験の結果も出たのですが、それも息子からすれば受け入れがたい成績だったようで。そこにきて、先日夫が……」

「旦那様が、どうされたのです?」

「息子の成績を見て、怒鳴ってしまったんです。息子もどちらかと言えば内気な性格をしているものですから、その日を境に引きこもりが酷く……」

「そう……ですか。すみません。話しにくいことを聞いてしまいまして」

息子が引きこもり……?

優秀な生徒の集まる地元の中高一貫校に合格し、エリート街道を行く予定だった息子が……?

これだけ金のある家庭に生まれた息子が……?

教育意識の高い親の下に生まれた息子が……？

塾や家庭教師など、あれだけリソースを投じられた息子が……？

なんと愉快な話だ。

資金的にも文化的にもこれだけ恵まれた環境に生まれ落ちた人間が、まさかまさかの転落だ。俺より遥かに恵まれた出自の人間が、中学校ごときで挫折したのだ。これから高校、大学、就職、社会人生活と負荷は大きくなっていく一方であるというのにまさか中学校ごときで！　前途多難な彼の人生に幸なきよう願うばかりだ！　素晴らしい人格的モンスターと化してくれるに違いない！

旦那も旦那だ！　普段は子供の教育に無関心なくせに、成績だけを見て怒鳴るとは！　それではまるで会社だ！　子供のことを部下とでも思っているのではないか？　会社のノリで家庭教育を行おうとする愚かな父親のせいで、息子の人生が傾いた！

その上、この一家は俺に金を奪われるだと？　なんということだ。他人の不幸は蜜の味と言うが、この不幸は甘すぎる。きっと寺川市のカフェで教育について話し合っているママ友連中も、他人の子供の不幸に快感を覚えたことがあるのではないだろうか。それほどまでの愉悦だ。

いかん。表情に出さないようにしなければ。神妙な顔を心がけろ。

「多感な時期ですからね。きっと息子さんも、そのうち元気になられますよ」

「ええ、そうだといいのですが……」

もう少しこの愉快な話を深掘りしたいところだが、目の前の娯楽のために本来の目的を見失ってはいけない。この三連休中に顧客の資金を引き出さなければ。

＊　＊　＊

◇七月十九日　火曜日

「おはようございます！」

珍しく元気よく出社すると、営業課長の上村が信じられないという顔で俺を見た。

よく見たら変なのは上村だけではない。営業一課の課員たちは一切こちらに目を合わせず、だが緊張感を纏(まと)いながらパソコン画面を凝視している。おそるおそる俺を見ているのは下柳だけだが、どう話しかけていいか分からないという様子だ。隣の課からの視線も感じる。

そりゃそうだろう。連休中、俺は自分の顧客が証券口座に預けていた現金のうち、出金可能なものを全て出金させたのだから。その額は約二十五億円。それだけの額がある日突然、支店から消えたのだ。衝撃は支店を貫いただろう。

これが仮に一億円程度の出金だとしたら、課長は俺に怒るのかもしれない。「何をやっているんだ」「フォローが甘かったのではないか」「どんなことをしても取り戻せ」などと言うのかもしれない。しかし数十億円という規模になれば、もはやアンタッチャブル。怒るとか詰めるとかの域を超えてしまい、誰も当事者に話しかけることができなくなるようだ。ちなみに今回の出金は第一波。俺の顧客からの出金はまだ続く予定だ。

見ろ、営業課長の上村を。大きく目を開き、パソコン画面と俺の顔を交互に見ている。その黒目は泳ぎ、身体のあちこちを落ち着きなく触っている。気が気でないという心情をパントマイムで上手に伝える上村を目の端で観察していると、上村のデスクの固定電話が鳴った。

「はい上村です！　はい来ました！　承知しました！　今向かわせます‼　失礼します‼」

コールが鳴った瞬間、凄(すさ)まじい速さで受話器を取った上村は、今まで聞いたことのない声量と緊張感で応対した。多分、相手は支店長だ。

「よ、義田！　支店長がお呼びだ！　四階の支店長室へ行け、早く‼」

大の大人が取り乱してみっともない。管理職とはいえ自社株も持っていないただのサラリーマンに過ぎないではないか。自分が所有する会社のことでもないのに、そこまで必死になる必要があるのか？　冷静に考えてみるとおかしな話だ。まぁ、あの支店長が今どんな顔をしているのかは見ものである。最後に見物するとしよう。

支店長室のドアを開けた途端、「義田どういうことだ‼」と奇声に近い大声が飛んできた。

部屋の広さは十畳程度。中心に管理職会議用のデスクと四脚の椅子があり、中央に支店長用のデスクがある。背後の壁には寺川市一帯の地図が貼られ、そこには何かが書かれた付箋がいくつもくっついている。横の本棚には帝日証券の役員やＯＢが書いた経済書、経営書、投資や営業のハウツー本、自己啓発書などが並んでおり、この部屋で最も気持ち悪い一角だ。

ちなみに『お客様がイチバン』という営業本を書いたのは、二〇〇六年頃にトルコリラ債の販売で伝説級の成績をあげた帝日証券の現役員だ。その辣腕販売ぶりは今も社内で語られるほどであるが、当時の為替レートは一トルコリラ七十から八十円程度。今の為替レートは一トルコリラ七〜八円だ。……いやはや、さすが証券会社の役員にまでなる人間は違う。販売した通貨が十分の一まで暴落してもなお、『お客様がイチバン』などというタイトルの本を、腕組みしたキメ顔著者近影つきで出せてしまえるのだから。そんな人間の本を恥ずかしげもなく本棚に並べているこの支店長も同類なのだろう。

「義田ぁ！　なんとか言ったらどうなんだ!!」

なぜかスーツを着て眼鏡をかけたマントヒヒが俺に奇声を浴びせてくるので一瞬驚いたが、よく見たら顔を紅潮させた支店長だった。

「ふざけるなよ！　テメエどう責任取んだよ！　そこの窓から飛び降りるか!?」

これは明らかにパワハラだ。コンプライアンスにうるさくなった昨今の証券会社なら、本社に通報すれば一発アウトな発言である。しかし、そんな時代においても相変わらず昭和時代のノリで罵声を浴びせてくる証券マンというのはいるものだ。

不思議なもので〝支店長の罵声〟には力があり、部下を震え上がらせる効果がある。だから俺もこれまで支店長の気分を害さないよう会社組織で生きてきた。それは組織人として正しいあり方だし、組織の秩序というものだ。秩序がなければ組織がまとまらないのも事実だろう。

しかし、辞めると決意した今、その秩序が随分と珍妙なものに思えてくる。俺はなぜ、こいつやこいつ以前の支店長たちに気を遣っていたのだろう。フラットな立場でこいつと町で出会っても、まず間違いなく無視する。支店長は顔を真っ赤にして罵声を浴びせてくるが、今の俺にはサルの鳴き声にしか聞こえないのだ。いや、会社組織という檻の中にいる以上、彼は暴力を振るえないのだから、野生のサルよりは安全な存在だ。

「おい何とか言ぇ！　どうして二十五億も金が出てくんだ！　どうにかして金を取り戻せ‼」

叫ぶ支店長を見て、だんだん笑えてきた。長年勤めた会社を辞める前というのは、こういう気持ちになるのか。今まで囚われてきたヒエラルキーから俺だけ抜け出し、まだヒエラルキーに囚われている人間たちを外から嘲笑う快感がある。

支店長は俺のことをまだ部下だと思っており、罵声によってコントロールできるものだと考えている。しかし、もう会社を辞めると決めた俺にとって、この支店長はただのマントヒヒだ。

「……支店長、それは変な話ですよ」

「ああ⁉」

「だって、証券会社が預かっているのはお客様の資産でしょう。証券会社の物ではありません。お客様が自主的に出金しただけなのに、それを『取り戻せ』だなんて。証券会社の都合でお客様の資産をコントロールしようとするなんて、おかしいじゃないですか」

俺は他人の金を自分のものにしているのだが、そこは棚に上げよう。

「お前、独立しようってんじゃないだろうな？　うちから客引き抜いて、自分の客にしようってんじゃねぇのか⁉」

課長の上村と同じことを言う。ＩＦＡ転身が流行っているからか、まずそこを疑うようだ。

「違います。ＩＦＡになんてなりませんよ」

「嘘つくな！　いきなり二十五億出金なんて、どう考えてもおかしいだろうが！　お前がその気ならこっちにも考えがある！　どうせ隠れて客にアプローチかけて、ネット口座で資産売却させたんだろ？　短期売却も随分とあるよな？　これは重大なコンプライアンス違反だぞ！」

「証拠もないのに、そんな言い方をしないでくださいよ。お客様が勝手にネットで売っただけです」

「黙れ！　総務の連中に徹底調査させて、絶対に証拠摑んでやるからな。ＩＦＡなんてやれると思うなよ！　証券業界で働けなくさせてやるぞ！」

「支店長、冷静になって考えてみてください。仮に私が支店長の仰るような不正行為をしていたとしましょう。そんな事例が一件発覚したら、私の直近数年の取引も調査することになりますよね？　それで次々と不正が発見されたら、これはもう支店内で話が収まらなくなります。支店の総務ではなく、本社のコンプライアンス部が来ますよ」

そこで支店長は息を呑んだ。冷や水を浴びせられたといった顔だ。

「私は支店長と二年間一緒に仕事をしてきましたよね？　この二年の私の取引を調査されたら、どれだけの不正が発覚するのでしょう。また私はこの支店で十一年間働いてきましたが、その間の取引を調査されたらどうなるのでしょう。支店成績のために私の不正を見逃し、時には庇ってきた歴代支店長のうち何人の評価に深い深い傷がつくのでしょう」

「……っ」

「都合が良いときは私の不正を見逃して、都合が悪くなれば追及する。それで自分はノーリスクなんて、ずるいじゃないですか。……支店長、死なば諸共（もろとも）ですよ」

支店長は急に大人しくなり、今度は深刻な表情をし始めた。顔を赤くしたり青くしたり忙しないおっさんだ。こいつはいつも豪快な証券マンぶって部下を威圧しているが、逆に自分が攻撃される側になると面食らうらしい。立場の強さに甘んじて部下に言うことを聞かせてきた人間にありがちな、ウブな反応だ。俺が全力で周囲を巻き込み自爆した場合、自分にどれほどの被害が及ぶのか、やっと頭の中で線が繋がったようだ。

「支店長、私の有給って何日ありますか？　これまで一度も取ったことがないのですが」

「ああ？　有、給……？」

「日数、分からないですか？　とにかく残りの有給を全部使って、しばらくお休みをいただきます」

「そ、そんなことできると思っているのか！」

「できますよ。いくら出来高制のＦＡ職といっても、雇用形態は正社員じゃないですか。そうである以上、有給は取れます」

「そういう意味じゃなくてだなぁ！」

また顔を赤くする支店長に、俺は淡々と告げた。

「そういう意味じゃないのだとしたら、これは労働基準法違反という話になってしまいますよ。もし有給を認めないのであれば、私はこのまま労働基準監督署に行ってもいいのですが」

明日から〝金配り〟で忙しくなる。証券会社なんかで働いている暇はない。

「では支店長、しばらくお休みをいただきます」

支店長室を出てエレベーターで一階に降りると、三階の総務部で働いているはずの細田が待ち構えていた。

「これからあなたの不正を暴いていきますからね！」

細田はやや喜びの入りまじった声でそう叫んだ。

思えば、この支店で俺に対する態度を一切変えなかったのはお前だけだったな、細田。

嫌いだけどな。

第12話

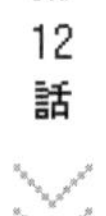

お前には社会がどう見える？

◇八月十九日　金曜日

支店長に有給を申請してから約一ヶ月。

あの後しばらくスマホへの着信が鳴り止まなかったが、全て無視している。なぜなら俺は有給中だ。休暇中の社員に何度も何度も電話をかけるなんて、ブラック企業ではないか。自宅に来られても困るので、最近はずっと座川市のホテルに泊まっている。

そんなことよりも金配りだ。金持ち連中から集めた金は、俺の立ち上げた銀杏投資顧問という株式会社の口座と、裏市場で購入した八つの法人口座に分散入金されている。その金を、俺はこの一ヶ月間配りに配った。虐待などワケあり家庭の児童養護施設支援、児童教育施設支援、奨学金基金支援、災害復興支援、難民支援、貧困支援……ありとあらゆる団体に金を振り込みまくった。中には「贖罪(しょくざい)寄付」というものもあったので、それほど悪いことをしたとは思わないが一応寄付しておいた。その金は犯罪被害者の支援に使われるらしい。

　寄付というのもこの規模となると存外面倒なものだ。寄付を受けている団体の中には、寄付者の審査を行う所もある。俺の立場上、そういった団体の審査を受けるのはリスクが高いのでできない。また、寄付用の銀行口座が公開されていて誰でも振り込めるような団体であっても、一日に振り込むことのできる金額は銀行から制限されている。現在のところ、メインを含む九つの法人口座それぞれから一日あたり一千万円ずつしか振り込みを行うことができないのだ。それ以上の振り込みを行う場合は原則として銀行窓口を通さなければならないが、それもリスクが高いためやりたくない。銀行口座から現金を引き出すにしても、一日あたりの制限がある。

　俺の犯行がバレて銀行口座が凍結されるのが先か、それともバレるまでの間に全ての金を恵まれない人に配り切るのが先か。まぁ恐らく前者なのだろうが、どちらにしろ俺はバレるまでの間に金を配り続ければいい。あとは警察に捕まって、メディアを通じて犯行動機を語り、同じ志を持つ者に伝播(でんぱ)させるだけだ。それで計画は完了する。

　俺ひとりの詐欺行為など、社会全体からすれば取るに足らない。しかし、俺の模倣犯が全国に現れたらどうだ。俺の思想に共感した者たちが、俺というモデルケースを参考にして、上級国民と関わる職業の中に紛れ込み始めたらどうだ。大企業役員、資産家、政治家、高級官僚などと接する職業の中に、犯罪など恐れない無敵の人間が紛れ込んでいたらどうだ。きっと世の中はひっくり返る。それが俺の格差への一撃だ。

俺は今、非常に気分がいい。

こんないけ好かない土地で、いけ好かない連中相手に、いけ好かない仕事を十年以上してきたのだ。その全てを計画どおりぶっ壊し、恵まれない人間相手に金を配っているのだから、いい気分にならないはずがない。

そうだ、久々に駄菓子屋の婆さんのところへ行こう。寺川市で日々労働し、慎ましく生活している婆さんのところに。ずっと俺の心の癒やしだったあの駄菓子屋に。しばらく行っていなかったが、町を去る前に顔くらい見ておかなくては。

＊　＊　＊

寺川駅の北口を出て、バスロータリーのある通りをまっすぐ北側に歩いていくと、右手に先々月ヨグルトで食中毒騒ぎが起きたスーパーが見える。半グレグループの半田という男が働いていた店だ。その先にある交差点を右へ。手前から三つ目の路地を左に曲がったところにあるのが、俺にとってのオアシス、婆さんの駄菓子屋……え？

「……なんだよこれ」

閉められたシャッターには「六月十五日をもちまして閉店します。皆様、このたびは多大なるご迷惑をおかけしまして、誠に申し訳ございませんでした」と書かれた紙が貼られている。

状況が分からない。多大なるご迷惑？　婆さんももう歳だから、体力的に営業できなくなったとかじゃないのか。一体、なぜ急に店を……。

慌てて裏口に回り、インターホンを押す。店は潰れても婆さんはこの物件に住んでいる。事情を聞きたい。

「はーい」

ドアを開けて出てきた婆さんは、いたっていつもどおりだ。

「どうしたの？　久しぶりに顔を出したねぇ」

「そんなことより店！　どうして閉店したんだよ！」

婆さんは困ったように自分の頬に手をあてて答えた。

「それがねぇ。ほら、最近あったでしょ？　例の事件」

そう聞いて、内臓を持ち上げられたような感覚になった。まさか……。

「ヨグルトの……食中毒……？」

「そう。うちも置いてたから、ヨグルト。それで子供が入院しちゃって、大騒ぎだったのよ」

鼻がツンとして、何かが脳まで突き抜ける。

「だけど！　あれは結局、特定企業を狙ったテロ行為だって話になってるだろ⁉　ニュースでそう出てたし、警察もその線で捜査してるって！　小売店の婆さんには何の責任もない！」

「そうは言うけどねぇ、ご近所さんにご迷惑をおかけしたわけだから……」

「そ、そんな……」

なぜこの店のヨグルトに菌が混入しているんだ⁉　半グレの誰かが婆さんの目を盗んで菌を混入させたのか⁉　それとも物流業者に半グレ連中が紛れ込んでいたのか？

クソ！　馬鹿なのか⁉　こんな小さい店で食中毒事件を起こしても意味ないだろ！　なんでこんなことに……なんで……！

「ば、婆さん、生活費とか大丈夫なのかよ……」

「まぁ年金もあるしねぇ……細々と生きていけるでしょう」

「細々とって……どうせ個人年金だろ？　大した蓄えもないんだろ……？」

俺は馬鹿か？　どうしてこの可能性を考えなかった。婆さんみたいな弱者を巻き込む可能性にあのとき気づいていれば、計画はもっと別のものにできた。なんであのとき……！

「あんたは心配しなくて大丈夫。私はもう老い先短いし……」

「そ、そうだ！　婆さん、ちょっと待っとけ！　今から銀行行ってくるから！」

「銀行……？　どうして？」

「とにかくちょっと待ってろ！　あ、いや……銀行だと引き出せる金は二百万円までか。じゃあ振り込みだ！　婆さん、振り込み先の銀行口座、教えてくれ！」

「ちょ、ちょっと落ち着きなさいよあんた。どうしたの？　振り込み先？　なんで……？」

「今すぐ一千万円振り込める！　婆さんの老後資金の足しにしてくれ！」

「い、一千万円⁉　あんた何言ってるの。そんなお金、いきなりもらえるわけないでしょ⁉」

「いいから振り込み先教えろ婆さん！　俺は……俺はそんなつもりじゃなかったんだよ！　婆さんみたいな人間まで巻き込むつもりじゃなかったんだ……」

「……私の生活を心配してくれるのは嬉しいけど、そこまでしてもらう必要ないわ」

「いや、だけど！」

「実は今まで黙っていたんだけどね、私いくつも不動産を持っているの」

「……へ？」

何を言っているんだ？　不動産……？

「駅の南側近くにマンションあるでしょ？　あの、一階に百円ショップとかが入ってる十三階建てのマンション。あれね、一棟全部私のなの」

「えぇ……？」

「それと駅の北側の、ハンバーガーのお店が入ってる物件あるでしょ？　あれも私の。その横のカレー屋さんが入ってる物件も。管理は全部、不動産屋さんに任せてるわ」

「ちょ、ちょっと婆さん……何言って……」

「駄菓子屋は、ただの道楽よ。こんなお店やってても生活の足しにもなりはしないわ。だからこのお店を閉めても、私の生活は大丈夫。そんなに心配しないで。それよりあんたこそ、まだ若いんだから自分の人生にお金を使わないと！　結婚は大丈夫なの？　もういい歳でしょ？子供にはお金かかるわよぉ」

「ま、孫の教育費を稼ぐからって、投資詐欺に騙されたんじゃねぇのかよ婆さん……」

「え？　ああ……いやぁ……あれはほら、ねぇ？」

言っていて思い出した。「孫の教育費を稼ぐ」なんて言葉は、老人が投資を始める際の常套句だ。

金に余裕があっても、そういう建前を用いて投資を始める老人は多い。証券会社に勤めていてこれまで腐るほど聞いた建前を、この婆さんに限っては真実だと思いこんでいたのだ、俺は。

なぜだ……なぜそんな思い込みを……。

「どうしたの、あんた。顔色おかしくなってきたわよ……？」

「………」

視界がぐにゃぐにゃと歪む。

俺がこれまで見てきた「駄菓子屋の婆さん」とはなんだったのか。ささやかな年金と駄菓子屋の僅かな利益で慎ましく生きていると思ってきた婆さんは、いくつもの収益物件を保有する社会的強者だったのだ。それを俺は勝手に弱者だと……。どうしてだ……なぜこんな勘違いを十一年間も……。

「か、帰るよ……」

「そう。体に気をつけてね？」

俺は……俺はこれまで婆さんの何を見てきたんだ？　何を分かっていたんだ……？

＊　＊　＊

喉が渇く……何かを飲んで気を落ち着けたい……。そうだコンビニ……駅の近くにある、あの夫婦が経営するコンビニで冷たい飲み物を買おう……。

ふらつく足でコンビニに入るとオーナー夫婦が働いていた。今日はアルバイトもひとりいる。たしかベトナム人の青年だ。

数ヶ月ぶりに来たが、考えてみればこの店もヨグルトを置いていたのではなかったか。なぜそれに思い至らなかった？　いや、この店に限らず小売店で働く弱者を苦しめるような計画に、俺はなぜすんなり乗ってしまったのか。

後に特定企業を狙った食品テロであると明らかになれば、小売店へのダメージは限定的だと考えたから？　大義のために僅かな犠牲は許容すべきだと考えたから？　クソ野郎の冨永から一刻も早く信用を得て詐欺に嵌めてやろうと思ったから？

俺はあのとき何を考えていたんだ……いや、とにかく今は、何か飲み物を……。

「おいグエンくぅん！」

コンビニオーナーの夫が、不機嫌で粘っこい大声を出した。

「ちょっとさぁ、ちんたら仕事しすぎなんじゃないのぉ？　そうやって時間稼ぎしてないで早く品出ししちゃって！　貰ってる給料分くらいはちゃんと働いてね？　あと君ぃ、またレジミスあったからね？　それバイト代から引いとくから。ミスしたんだから当然だよね？」

ベトナム人のアルバイトは、オーナーのしつこい叱責に「ハイ……ハイ……」と俯いて返事をしながら、品出しする手を早めた。意味が全て分かっているのかは怪しいが、とにかく悪意ある言葉をぶつけられたことは理解したようだ。オーナー夫人はそちらに一瞥もくれず、嫌らしい笑みを浮かべながらホットスナックを作っている。

また、視界がぐにゃぐにゃと歪む感覚があった。

俺はこの光景をこれまで何度も見たことがあった。夫婦が外国人アルバイトに厳しく当たる様子を、何度も何度も見聞きしてきた。あのアルバイトは異国の地で低賃金で働いている。どれだけ心細いだろう。どれだけ貧しいだろうか。そんな労働者に、夫婦はああいった物言いをする。それを俺はこれまで幾度となく目では見て、耳では聞いた。しかし、それが脳には届いていなかったとしか考えられないほど、目の前の光景に衝撃を受けたし、疑問を覚えた。

俺はこれまでオーナー夫婦のアルバイトに対する言動を無視して、小売店で毎日勤勉に働く聖人であるかのように認識していた。どうして……？

小売店で、低賃金で働いていたから？　そういう人間だから聖人だと、尊いと……？

俺はこれまで何を見て、どう認識してきたんだ。

「よ、義田先輩？」

「……シモ？」

コンビニの入り口で呆然（ぼうぜん）としていると、背後に下柳が立っていた。

そうか、そう言えばこいつもこのコンビニをよく利用していた。下柳、お前には俺と同じ光景が見えていたのか？　ふたりの人間が同じコンビニを見て、違う光景が見えていたなんてことはないだろうな……。

「まずいっすよ！　先輩と連絡つかないって、あれから支店の人たち大騒ぎで……本社の人も今度来るって。こんなとこいるの見つかったら大変なことになりますよ」

「シモ、ちょっと話せるか？　頼む。十分でもいいから」

「……わ、分かりました！　じゃあ隣町のカフェでも行きましょ！　そっちなら、うちの支店の人と鉢合わせすることないですから」

急にこいつと話したくなった。

俺と似たような生い立ちのこいつの目には、どんな景色が見えているのか確認したくなった。


俺たちは電車で座川駅まで行き、駅南口の高架下にある古い喫茶店に入った。

下柳という男は、俺と同じく母子家庭で育った。俺と同じく地方のど田舎の、貧乏家庭出身。そして、俺と同じく証券会社で働いているのだから、世に存在する格差というものに思うところがあるだろう。そんな同類同士でなければ理解し合えないものが、きっとあるはずだ。

「シモ。お前、この社会についてどう思う？」

「え？　いきなりめっちゃ壮大な質問っすね。急になんすか？」

下柳はアイスコーヒーをかき混ぜるストローを止めて、怪訝な表情で訊き返してきた。

「世に存在する格差についてだよ。たとえばお前、塾とか行ったことあるか？」

「ないっすねぇ。ってか実家の周辺に塾とかひとつもないですし」

「家庭教師とかは？」

「いや、ないです。金ないっすもん実家」

「小学校や中学校でお受験したか？」

「してるわけないじゃないっすか……」

「親は、学歴の重要性について教えてくれたか？」

「えー？　いや全然、そのへんノータッチっすようちの親」

だよな。分かっていて質問を重ねた。

「大学に行く金はどうした？」

「そりゃ奨学金で……」

「大卒就活の世界観や常識を知っている親だったか？」

下柳は小さく溜め息をついた。

「いや知ってるわけないっす。親が勧める職業なんて、公務員か教師でしたよ。なんかいい仕事っていったら、それくらいしか知らないんです、うちの親」

「証券会社で働いていて、金持ち連中を見てどう思う？」

「え？　まぁ、すげぇなぁというか、僕とは何もかも違う人がいるんだなって感じっすかね」

「親はお前の歯について、何か言及したことあるか？」

「へ？　歯……ですか？　いや、ないっすけど。それ何か関係あります？」

「じゃあ……」

「な、なんなんですか矢継ぎ早に！　どうしたんすか！　ほんと何が言いたいんです？」

下柳は俺からの質問の隙を衝いて、こちらを見ながらアイスコーヒーをすすった。

俺の質問の意図がまるで分からない様子だ。……いや、そういうフリをしているのか？　ではもっとはっきり言ってやるか……。

「つまりだ、この社会は生まれた瞬間から格差がある。経済的にも文化的にも、情報的にもだ。俺とお前はその格差の下側に生まれ落ちた。シモ、社会に対して思うことはないか？　格差を恨んだりすることはないのか？」

「えー？　でもそれ、仕方なくないっすかぁ？」

は……？

「だって、あるもんはあるんですし。どうにもならない現実を受け入れて、できるだけ現実に対応して、少しでもいい人生過ごそうって考えたほうが、恨むより建設的じゃないっすか？」

現実を……ウケイレル？　タイオウ……？

「あ、でも僕、証券会社から独立したら、金融教育の事業立ち上げたいって思い始めて！　金融に関する情報格差を埋めたいんすよ。そういう側面から社会貢献したいなぁって……ほら、前に義田先輩と話したじゃないですか。そんな感じで、自分にできる範囲での社会貢献をしたいとは思ってますよ。でも社会貢献より前に、まずは自分の人生っすよね、そこちゃんとしないと！」

ま、待て……下柳……お前何を……。

「っていうか、うちみたいな貧乏家庭でも奨学金で大学行けましたし、それなりに金稼げる職業にも就けましたし、なんだかんだいい世の中じゃないっすか？」

イイヨノナカ……？　こいつは何を言ってるんだ。同じ時代に生きて、似たような生い立ちの者同士で、どうしてここまで社会に対する感想が異なる？

「貧乏コンプレックスなくもないですけどー、それも武器っていうか。こう『頑張るぞ！　負けないぞ！』って気分になるんですよね。ある意味、生まれたときから満たされてなくて良かったっていうかぁ。格差をバネにここまで来た感じありますね、僕の場合！」

「それはお前……ミクロではそうでも、マクロでは違う。広く世の中を見れば、格差社会の被害者がたくさんいてだな……」

「んー、それは分かりますけどぉ。でも自分が格差の下側に生まれたとして、社会恨んでも何もならなくないですか？」

「だから仕方ないと言うのか？　そんなのは奴隷の論法だぞ！」

「え、えぇ？　どうしたんすか義田先輩。いや、でも僕だって自分ができる範囲で世の中変えたいとは思ってますよ。でもそのためにするのは今の社会を恨むことじゃなくて、積極的に対応して自分が力をつけてくことじゃないんすか？」

「お前がそんな冷笑的な奴とは思わなかったよ」

「れ、冷笑……？　いやいや、現実を受け入れて対応する姿勢と冷笑は、違うんじゃ……」

「…………」

「あ、そういうことです？　それで最近変な感じになっちゃったんすか？　先輩、何があったか僕には分からないですけど、今ならまだ間に合いますよ。そりゃ何十億も出金されたのはヤバいですけど、支店戻って真剣に謝って、また仕事頑張ればきっと許してもらえますよ。先輩、めっちゃ仕事デキるんすから！」

「…………」

「元気出してください！　考えすぎですよー。そんな深刻に考えてもしょうがないっす！」

俺はこいつのことを、本当に、殺してやろうかと思った。

似たような出自のお前が、俺の憎悪や苦悩を「考えすぎ」と一蹴するのか。深刻な社会問題を「あるものはしょうがない」と肯定するのか。自らの冷笑主義を現実主義と言い張るのか。

今気づいたが、俺が最も憎悪するのは、強者の肩を持つ弱者なのかもしれない。

強者が作ったこの格差構造に何ら疑問を呈さず、その檻に入ることを家畜のように受け入れ、あまつさえ檻の中にいることを是と言い放つ弱者。俺はこの下柳という男にずっとシンパシーを抱いていたが、こいつの内面は俺と真逆だ。この男は俺が最も憎悪すべき相手だったのだ。

お前は現実に折り合いをつけて大人になったつもりか。明確に存在する不当な格差を歪曲した認知で誤魔化しているだけではないか。

こういったタイプは結局のところ、世に存在する格差を肯定し、その格差の上側に自分が属する方法を模索するしか能がない。何ら社会を変えようという気概などないのだ。

だとすれば「大卒」とはなんだ。目の前にある不当な格差を看過し受け入れ折り合いをつけられる人間のどこに、教養層としての矜持（きょうじ）がある。この現実を看過できるのなら、貴様らは教養層ではない。ただ制度化された「キャリア構築システム」に乗っているだけの体制の犬だ。

何が学問だ。何が教養だ。何が学位だ。それとも、そんな疑問すら浮かばないほどその知能は劣化しているのか。

「先輩、支店に帰りましょうよ。連絡しないのはまずいですって」

「もう俺は行く。シモ、さよならだ」

「え、ま、待ってくださいよ！　先輩、義田先輩⁉」

俺は下柳という男を見誤っていた。こいつは立派な体制の犬だった。そして、俺の敵は上級国民だけではなかったのだ。

……視界が、歪む。

＊　＊　＊

「……二宮ぁ。逮捕者これで何人だっけ」

「六人ですね」

一ノ関のぼやきに、二宮がすぐに返事をする。

「そっから俺たちの情報、漏れたりしねぇだろうなぁ……」

「内訳を考えてください。捕まったのは雇った闇バイトじゃなくて身内だけです。彼らは死んでも私たちのことを警察に吐きません」

その隣では三田が、スマホをいじってネットニュースを眺めている。

「だけど、ヨグルト社を狙った食品テロってことで警察は捜査してるらしいぞ」

「三田さん、それがバレるのは時間の問題だと最初から分かっていて計画を遂行したわけでしょう？　捕まった者が喋ったのではなく、状況証拠から疑われたのでしょう。いくら極小の注射器針で菌を混入させたといっても、容器か蓋に穴は開いてるわけですからね。しかしヨグルト株は狙い通り暴落し、私達は空売りで利益を得ました。計画は成功ですよ」

二宮の言葉に乗って、一ノ関が胸を張る。

「まぁ俺のチームが動画やＳＮＳで煽りまくったし。完全に俺の世論操作のおかげだな。ネット民チョロすぎ」

はぁ……と二宮が大仰に溜め息をつく。

「ただネットメディアで取り上げるだけでここまで問題が大きくなるわけないでしょ。私が雇った闇バイトの仕事がなかったら、絶対成功していませんでしたよ」

「チビがなんか言ってら」

「いやこの話とチビ関係ないでしょ」

「チビチビチビチビチビチビチビ！」

「あああああ！　うるさいなぁ！　大体身長なんて本人の努力でどうこうなる問題じゃないんだから『チビ』は差別用語でしょお⁉　じゃあ今メジャーリーグで二刀流とかやってる日本人は努力したからあの身長になったんですかねぇ？　違いますよねああいう体のサイズにたまたま生まれただけですよねぇぇぇ⁉」

「お、チビめっちゃ切れてんじゃん」

「おい止めろ一ノ関。落ち着け二宮」

三田の制止は遅きに失している。二宮が一ノ関に嚙みついた。

「じゃあお前は『馬鹿』って言われムカつかないんですか！　生まれつき馬鹿なだけなのに！」

「は？　いや俺馬鹿じゃねぇから」

「バカバカバカバカバカバカバーカ！」

「馬鹿って言うほうがバ――――カ‼」

「みっ……みっみっみっみっみっみ……みっみっみっ、みっ、みんな、なっなっなっなっなっなっ、なっなっなっ……なっなっなっなっなっ、なっなっなっなっ仲良く」

四井の言葉に、一ノ関と二宮の動きが止まった。

「はい‼　申し訳ございませんでした‼」

「一ノ関くん、ごめんね！」

「いいよ！　二宮くん、ごめんね！」

「いいよ！」

三田がふたりに変わって頭を下げる。

「四井さん、いつも仲裁すみません。一ノ関、二宮、お前らいい加減にしろよ。とにかく俺たちは〝無敵〟だ。捕まるなら捕まるでいい。次の計画について話し合おう」

＊　＊　＊

四井たちは以前と同じ、レンタルオフィスの三〇六号室に集まっていた。

「やっぱりここにいたか。半グレども、久しぶりだな」

すると、背の低い二宮が俺の前に立ちはだかる。

「義田さんじゃないですか。ご無沙汰しています。もう私たちは無関係のはずですが、今度は何のご用でしょう」

話し方こそ丁寧だが、警戒心剝き出しといった様子だ。一ノ関も三田も同様の態度。中央に座る四井だけは、涼しい目でこちらを見ている。

「また、あんたらの力を借りたい」

「どういうことですか？」

「俺の犯行をネットメディアで大々的に取り上げろ。ＳＮＳも動画サイトも総動員でだ」

「はぁ？　急に何言ってんだ」

ネットメディアと聞いて、それを担当する一ノ関が口を開いた。

「俺は勘違いしていた。敵は上級国民だけじゃなかったんだ。その上級国民が作った格差制度を肯定する弱者たちの目を覚まさないといけない。ヨグルト株の件でお前らのネットメディアの力はよく理解した。そこで俺を取り上げれば、虐げられていることにまだ気づいていない多くの弱者たちの目を覚ますことができるかもしれない」

「は？　証券マン、急にどうしたんだ」

三田が呆気にとられた顔をしている。

そうか、俺としたことが少し性急すぎた。こいつらには順序だてて説明する必要があったか。

「……つまりだな」

俺が話を始めようとすると、半グレグループの元締めである四井がそれを手で制した。

四井はキーボードに打ち込み、書いた文章を俺に見せてきた。そこには「あなたに協力することによって、僕たちに何のメリットがあるのですか？」と書かれている。

この男はいつも話が早くて助かるが、メリットときたか。まだ俺の話が見えていないようだ。

「お前たちは恨んでいるんだろう、この格差だらけの社会を。だからそんな社会をぶち壊したいと言っていたよな。俺がやろうとしているのも同じだ。上級国民が自分たちに有利になるよう作った社会をぶち壊す。その手伝いをしてくれと言っているんだ。俺たちは〝同類〟だろ？」

四井は顎を親指と人差し指で軽くつまみ、黒目を上に向けながら何かを考えていた。そしてひとり納得したように頷き、パソコンに文字を打ち込み始める。

俺はそんなに難しいことを言っていないはずだが、この男は何を考え込んでいたのか……。

四井はパソコンの画面をこちらに向け、打ち込んだ文章を見せてきた。

「義田さんのお話を聞いていて、何かが根本的にすれ違っていると思ったので考えてみたのですが、それが分かりました。確かに義田さんは今の社会を破壊したいと思っている。僕たちも今の社会を破壊したいと思っている。その想いは同じです。ただ、僕たちは同類じゃないと思いますよ。その認識は間違っています」

「どういう意味だ？」

俺の質問に、四井はすぐに文字を紡いで見せてくる。

「ヨグルト株の件で一緒にお仕事をした際、義田さんの身の上話をいくらか聞きましたけど、実はあのときから僕たちは義田さんのこと『違う人』だなって思っていたんですよ」

「違う人……？」

「ええ。だって義田さん、退学したとはいえ一般入試であのK大学に入学したんですよね？親は中卒で勉強を教わったわけでもなく、塾に通ったわけでもなく、家庭教師がついていたわけでもない。通っていた高校も進学校ではなく、周囲は高卒で就職するのが当たり前という環境の中で、ひとり勉強して現役でK大学入学でしょう。それってどう考えても『普通』じゃないです」

「普通じゃない？」

「ええ。普通じゃないですよ。それだけ恵まれない環境に生まれ落ちて、何の教育リソースも投じられていないのに、Ｋ大に現役合格なんて普通じゃないです。義田さんは、先天的に優れた頭脳をお持ちなのでは」

「俺が先天的に優れている？　いや、とにかく俺は必死で努力して大学受験に合格して……」

「努力といっても限度があります。周りの学生たちはどうでした？　良い環境に生まれ、十分な教育リソースを投じられた学生が圧倒的多数ではありませんでしたか？　それは羨ましいことかもしれませんけど、独力で現役合格した義田さんの才能に比べたら、全員凡人でしょ？」

四位は素早く文字を打ちこみ。見せる。

「義田さん、ここにいるのは正真正銘のポンコツばかりです。軽度の知的障害だったり、身体的な障害があったり、感情抑制ができなかったり、長生きできない病気を抱えていたり。僕らは生まれながらにして〝こう〟なんです。加えてみんな毒親持ち。教育意識のかけらもなく、子供に対する愛情すら怪しいような親の下に生まれて、格差の下側に行くことが決定していた者ばかりです。だからこんな社会、ぶっ壊れればいいと思っている。そんな僕たちと、それほど優れた才能を持って生まれたあなたが〝同類〟って、それは皮肉ですか？　こちら側から見れば、あなた相当に恵まれた人間ですけど？」

「おい、ふざけるな訂正しろ！　俺のどこが恵まれている！」

「なるほど。そこは認めたくないんですね」

「認めるとか認めないとかじゃない！　俺は努力したんだ！　人一倍努力した！　恵まれない環境でも、お前らの想像を絶する努力をした！　それを〝才能〟なんて言葉で片付けるな！」

俺が恵まれているだと？　ふざけるのもいい加減にしろよ。俺はあんな環境に生まれて、大学でその差を思い知らされて、仕事でも格差を目の当たりにし続けてきた。どう考えても俺は格差の下側にいる。そうでなければ……。

「とにかく、義田さんの話はお断りいたします。僕たちは同類でも仲間でもありませんから」

そのとき、三田のスマートフォンが鳴った。

「あ、すんません電話……もしもし？　今取り込み中だから……え？　それマジ？」

電話に出た三田の顔がみるみる赤くなっていく。

「半田ァ！　あいつマジで！　クソが！　あいつマジで貧乏神だったなぁ！　あークソが！」

三田は激昂（げっこう）してスマホを地面に叩きつけた。そして四井に対し土下座の構えをした。

「四井さんすみません！　今うちの兄弟から連絡あって、半田が警察に自首したらしいです！　たぶん俺たちのこと警察にバレます!!」

「はぁ？　マジかよ三田ぁ！　お前マジで馬鹿だな！　バーカ！」

「組織の理念に共感しない人間を部下に持っていたのですか？　これはあなたの責任ですよ」

一ノ関と二宮の叱責に、三田が途方に暮れた顔をする。

「いや、あいつヨグルトの件から変になっちまって……」

三人はさすがに焦っているが、四井は相変わらず涼しい顔だ。

こいつは逮捕を全く恐れていない。自分の人生を完全に捨てている人間は潔いものだ。

しかしそれはこちらも同じだ。半田が自首したということは、俺の情報が漏れるのも時間の問題だろう。想定とは違ったが、俺の逮捕も計画のうち。来るときが来ただけだ。

「四井、お前はどうするんだ？」

ふと気になり、四井に残りの時間をどう過ごすのか聞いてみた。

四井は涼しい顔でパソコンを打ち、画面をこちらに向けて文章を見せた。

そこには「今できる悪事をできるところまでやります」と書いてあった。

一ノ関、二宮、三田の三人も、いつの間にか落ち着きを取り戻していて、四井のパソコン画面を見て無邪気に笑った。こいつらは筋金入りだ。

俺も、残りの時間で可能な限り金を配り続けよう。

＊　＊　＊

◇八月二十九日　月曜日

座川駅に隣接したホテルのテレビをつけると、今日もニュースは元首相暗殺とそれに関わる宗教問題、そしてヨグルト食中毒事件の真相に迫る特集を流していた。

半田の自首と自白により四井たちは逮捕され、ヨグルト食中毒事件の真相は数日で日本全国に広がった。テレビも新聞もネットも、四井たち半グレグループの報道ばかりだ。

真実とデマ、批判と同情が錯綜（さくそう）する中で、俺は毎日ワクワクドキドキしながら自分の行為がメディアで報道されるのを待った。しかし、この計画に義田という証券マンが便乗し、上級国民相手に投資詐欺を行っていたという報道はまだない。

考えてみれば、半田は俺が計画に加わろうとしていたところまでは知っていたはずだが、実際に俺が計画に加わったかどうかも、投資詐欺をしていたことも知らなかったのではないか。

そのあたりの経緯は四井たちなら知っているはずだが、奴らはそもそも俺のことをちゃんと警察に話しているのか？　まさか、警察はまだ俺について何の情報も得ていないのでは……。

それはそれで不都合だ。せっかくメディアがここまで大盛りあがりしているのだから、俺という義賊が富の再分配を行っていたという情報も流れてくれないと困る。

数日待っても俺の存在がメディアに出てこないので、いっそＳＮＳのアカウントを作ってネット上で自白をしてみようかとも考えたが、デマ主と思われるのがオチなので止めた。

いずれ逮捕されるにしても、なんとか俺の行為について広く世間に知らしめたい。メディアが大騒ぎしているうちにだ。そもそも、俺は警察に捕まるのを待つべきか？　それとも自首した方がいいのだろうか？　どういう風に捕まるのが最もセンセーショナルなのか、考えてもいなかったことに今さら気づいた。

サイドテーブルの上でスマートフォンが震えた。電話だ。また寺川支店からだろうか？　画面を見たが番号が違う。これはどこの番号だろう。もしかして警察からか？　よく分からないが、逮捕される前というのはそういうものなのか？　それとも事情聴取？

胸が高鳴る。出なくては。

「はい、もしもし」

『お忙しいところ恐れ入ります。こちら、帝日証券寺川支店にお勤めの、義田大輔さんのお電話で間違いないでしょうか』

「はい、私が義田です。本人です」

電話の男は俺の勤め先とフルネームを知っている。間違いない、こいつは警察だ。やっと俺を逮捕してくれるんだな。

『私、帝日証券コンプライアンス管理部の伝井と申します』

「へ……？　コンプラ……？」

帝日証券のコンプラ部……？　なんだ……？　どうして……？　あ、そういえばまだ会社を正式に退職していなかったな……。どうでもよすぎて完全に忘れていた。

『あなたと連絡がつかないと寺川支店の総務部が言っていましたが、試しにかけてみて良かったです。今どちらにいらっしゃいますか？』

「……どうしてですか？」

『あなたの過去取引に不正と思われるものが複数発見されました。それについて、お伺いしたいのです』

「はぁ、俺の不正ね……」

呆れた。こっちは逮捕まで覚悟して待っていたというのに、たかだか証券会社の不正取引ごときで電話をかけてくるな。会社組織の中にいるお前からしたら重要案件だろうが、俺からしたら鼻くそほどの重さも感じない罪だ。その程度のことでシリアスな声を出すな。

大した用事でもなさそうだし、このまま電話を切ってしまうか……いや、待てよ。

「あの、不正取引と仰いますけど、それは〝どれ〟のことですか」

『どれ……とは？』

「いえね、客注に見せかけてネットで商品売買させたり、高齢者にリスク商品を買わせたりしたことなのか。それとも、俺がやった投資詐欺のことなのか。どの件についてかと思いまして」

電話口で伝井とやらが、大きく息を呑むのが聞こえた。

『いや、何を……え？　今、なんて仰いました？　詐欺……？』

「あー、なるほど。まだ俺がやった投資詐欺のことについては、情報を摑んでいないんですね」

『い、いやいやいや……詐欺……え……？』

「分かりました。直接会って話しましょう。多分、あなたたちが想像する以上のことを俺はやっているので」

伝井が声にならない声を上げている。愉快だ。

「二時間後に本社に伺いますよ。そこで全てをお話しします」

『は、はぁ、ではそれで……あ、いや、三時間後にしていただけますか？　上司とも話を……』

「いいですよ。では三時間後で」

『……はい……では失礼します』

「よろしくお願いしますね」

コンプライアンス管理部の伝井は超弩級（どきゅう）の爆弾の存在を察知したようで、地を這うような暗い声で電話を切った。

これでいい。そういえば、俺が勤めているのは帝日証券。テレビＣＭもバンバン流している日本の大手証券会社だ。冷静に考えたら、この知名度を使わない理由がなかった。

本社のコンプライアンス管理部に俺のやったことを洗いざらい話してしまえば、警察も金融庁も動かないはずがない。会社名とともに、俺の革命が全国に報道されることは疑いないのだ。帝日証券よ、ありがとう。今、俺は心から感謝の言葉が言える。俺の投資詐欺のためだけでなく、革命の周知のためにもその知名度を利用されるとは、まるで俺のために存在するかのような証券会社だったな。三時間後が楽しみだ。

座川駅から東京駅までは電車で一時間程度。丸の内はそこまで遠くはないが、わざわざ来たいと思うような場所でもない。

見ろ、この高層ビル群を。あそこまでの高さにする必要があるのか？　あっちでは新しい高層ビルを建設中のようだが、これ以上ビルが必要だろうか。無駄に豪華なビル同士が必死に背伸びをしあっている様子は、東京という都の空虚さを象徴しているかのようだ。

行き交う人の流れを俯瞰して見ると、まるで黒い川だ。聞こえてくるのは、せせらぎというにはあまりにも忙しい足音。そして車の排気音と、工事現場の機械音。何もかもが動いているこの町は、人心に一切の安らぎを与えず、ただ焦らせるばかり。俺が生まれ育った土地とは根本的に世界観が違う。向上を是とし停滞を非として、そう思えない人間はここにいるべきではないと拒絶されているような気さえする。

日本の大手金融機関の本社ビルは、この東京駅周辺に集中している。帝日証券もその一社だ。

地上二十五階、地下四階のビルの中に、帝日証券の本社部門の一部が入っている。

ビルに入ると二十メートルほど先のゲート前に、社員証をぶら下げた男が立っていた。

明らかに誰かを待っている風情なので、恐らくあれが伝井だろう。見たところ三十代。髪は坊主に近い短髪で、身体はがっしりと横に大きい。耳が潰れているから、柔道でもやっていたのだろう。午後なのに皺の少ない白いワイシャツで、靴もちゃんと磨かれている。背筋はピンと伸びており、近づいて見ると誠実そうな顔つきをしている。上下関係の中で揉まれてきた律儀な男という印象だ。首にかけている社員証に帝日証券のロゴと名前がある。間違いない。

「あ……義田さんですね？」

「ええ。伝井さんですね。本日はよろしくお願いします」

にこやかに応じると、伝井がカードを手渡してきた。

「では……早速ですが中へ。こちらのカードを使って入館してください」

エレベーターで十七階に上がり、伝井に案内されるままガラス張りの個室に入った。部屋の広さは六畳程度で、白いデスクとイスが二脚置かれているだけの部屋だ。なるほど、コンプライアンス管理部はこういう部屋で取り調べを行うのか。

普通の証券マンであれば、これからどのような詰問を受けるのか戦々恐々とするものなのだろうが、開き直っている俺からすればただ興味深いばかりである。普段、何ら会社の収益に寄与しないコンプライアンス管理部が、どのような態度で俺を詰問するつもりなのか。

逮捕確定、メディア大盛りあがり間違いなしの犯罪話を俺から聞いて、どのような顔をするのか、楽しみなくらいだ。

「では、始めてもよろしいでしょうか？」

「ええ。どうぞ」

伝井は部屋のブラインドを下ろし、ボイスレコーダーを起動させてデスクの上に置いた。

「えー……改めまして、帝日証券コンプライアンス管理部の伝井です」

「帝日証券寺川支店営業部第一課の義田です。よろしくお願いします」

「まずお伺いしたいのですが、こちらの顧客取引について覚えはありますか？」

伝井は分厚いフォルダから一枚の紙を取り出し、こちらへ滑らせた。

「ああ、木村（きむら）さんですね。もちろん。お得意さんですから」

「木村様は七十五歳の高齢者です。当社では高齢者にリスク商品を提案する際は、管理職による認知判断能力の確認と承認が必要ですが、木村様に関してはその確認が行われていません。木村様は二〇二一年七月に投資信託を売却し、その翌週に新たな投資信託を購入されています。……義田さん、あなたの書いた顧客履歴には『お客様の自主的な判断で投資信託の売買が行われた』とありますが、実はあなたが水面下で商品提案をしていたということを、木村様本人から聞き出しました。これは事実でしょうか？」

「ええ。事実です」

「あ……そ、そうですか……」

あっけなく不正取引を認める俺に、伝井は面食らったようだ。

そりゃそうだ。普通の証券マンなら弁解するだろうからな。

「で、では不正取引を認めるということですね？」

「ええ。認めます」

「そうですか……次に」

「待ってください。その分厚いフォルダの内容を、全てこの場で確認するつもりですか？　二時間や三時間じゃ足りなそうだ」

「……仕事ですから」

俺は大仰に肩をすくめてみせた。ついでにわざとらしい溜め息もついておく。

「コンプラ部ってのは暇人ですなぁ。伝井さん。アンタこの会社何年目？」

「十年目ですが……」

「へー、俺と結構近いんだ。営業は何年経験したの？」

「いえ、私は」

「え？　営業現場の経験なし？」

「初期配属はリテール業務管理部、売買管理部に異動し、現在はコンプライアンス管理部です」

「マジかよ……痺れる経歴だな。本物の〝現場知らず〟だ」

　俺の煽りにも、伝井は冷静に応じた。

「現場知らず、ですか。確かによく言われます。しかし私の経歴とあなたの不正取引は無関係でしょう。さ、聴取を続けます」

「いいや関係あるね。俺は証券会社の販売現場を知らない人間が営業の粗を探すっていうのが、以前から我慢ならなかった。」

「時間は限られています。今それについては……」

「あんたみたいに収益を直接稼いだことのない人間は、自分たちの給与を現場の人間がどうやって稼いでいるのか分からないだろ。不正？　そりゃ大なり小なりするだろうよ。じゃなきゃ本社部門の馬鹿どもが脳死で取ってきた社債の引受けや投信の募集を捌けねぇんだから。役員の老いぼれどもが設定した現実離れした経営目標を達成できねぇんだから。そんな現場の状況も知らない人間が、自分たちだけはコンプラ部なんていう遥か高みから営業の粗探しか？　顧客利益のことを考えているのか怪しい窮屈な取引ルール作って仕事したフリか？　不正取引があったらすっとんできて事情聴取、金融機関の社会的意義や顧客利益とやらを偉っそうに説くのか？　現場を知らない人間が？　頭おかしいだろ」

「仰ることは理解できますが、あなたがあなたの仕事をしてきたように、私は私の仕事をするだけです」

「おや。冷静だなぁ、あんたは」

「では、先に最も核心的な……いや、最も私が恐れていることについて聞かせてください」

「どうぞ」

「義田さんは先ほど電話で『投資詐欺』と仰いました。これはその……当社の顧客に対して……ということでしょうか？」

「それも含まれる。先日寺川支店から二十五億円の出金があっただろ。それが丸々俺の詐欺用法人口座に〝入っていた〟」

過去形で伝えたので、伝井は思わずといった様子でこう訊いてきた。

「今は……？」

「あちこちの団体に寄付しちまった。ま、富の再分配ってやつだ」

「な……っ!!」

伝井は今日一番の表情を見せてくれた。坊主に近い頭から汗が噴き出している。

同じ土地で十一年も働いてなぜ今。なぜ投資詐欺を、なぜ寄付を、なぜ逃げもせずこんなところで自白を。どこから質問していいのか分からない様子だ。

「伝井さん、質問しづらいなら、俺がイチから全部話していいかい？」

「イチから……ですか？」

「そう。俺がなぜここでアンタ相手に自白しているのか、なぜ投資詐欺をしたのか、なぜ証券会社で働いているのか、全部イチからだ。その流れが分かれば俺のことも理解できると思う」

「わ、分かりました。お伺いします」

「長くなるぞ。まず俺の出身は、地方の——」

俺は伝井に自分のことを全て話した。

生い立ち、大学時代のこと、証券会社に入った理由、証券会社の顧客に対する気持ち、格差に対する憤り、ヨグルトの食中毒計画、投資詐欺計画。とにかく全てをひたすら話した。

現場知らずの伝井は聞き手としては大変好ましい男で、素早くメモを走らせつつも俺の目をしっかり見て、ゆっくり頷きながら話を聞いてくれた。気づくと俺は二時間も喋り続けていた。

「それで、今ここでアンタ相手に全てを自白しているというわけだ」

「…………」

俺の話を聞き終わった伝井は、話を聞く前より困惑を深めた様子だった。

ここまで理路整然とした説明をさせておいて、まだ分からないのか、この男は。

「その、いや……お話ありがとうございます。しかし、気になることがいくつもあって、どこからどう聞けばいいのか……」

なんでもどうぞ、と俺は言った。

伝井は体育会系らしい生真面目さで、推定犯罪者相手でも丁寧に話しかけてくる。

「義田さんは、格差を憎まれているのですよね？　我々は生まれた瞬間から大きな差があると。

そして、生まれながらにして恵まれていることに無自覚な人間たちを憎んでいる。証券会社で働き、恵まれた人々に復讐するとともに、恵まれない人々に富を分配したいと考えたと」

「そうだ」

「その〝恵まれた人間〟についてなのですが……具体的な例を挙げてお伺いします。例えば不動産オーナーの中田氏のお孫さん」

「ああ、あの働きもせず一族の脛かじって生きてるボンボンクソニートな」

「え、ええ。その……ニートはともかくとして、先天的な問題を抱えて、悩まれていらっしゃると。それって恵まれていますか？　いや、生まれた家は資産家家系でしょうけど」

「はぁ？　何を言ってる。働かずに飯を食えて、どこが恵まれていないというんだ？」

「……で、では他の例を。教育熱心な村田氏」

「ああ。息子が名門中高一貫校に合格して鼻高々だったのに、学業についていけなくて引きこもりを抱えることになっちまった村田さんな。笑えるだろ」

「実は私も似たような学校を出ているのですが、どんな良い学校でも在学中に脱落者は出るんですよ。受験に失敗する子も当然います。良い学校に通ったからといって、将来が約束されるほど人生って甘くないと思いませんか？　恵まれた環境なりの熾烈な競争があるわけで」

「そんな恵まれたステージにすら立てない人間もいるだろう」

「私が言いたいのはそこではなく……いえ」

咳払いして、伝井は聞き取り用のメモを見た。

「では次の例ですが、美術品収集家の金井氏」

「あー、あの爺さんな。いつも俺に美術品を見せびらかして試してくる嫌な奴だ」

「ええ、それは確かに大変ですね。それより私が気になったのは、金井氏が行っている慈善活動をあなたが〝偽善〟だと言った点です」

「偽善だろう？　あれだけの資産に守られている人間でなければ、慈善活動しようなんていう気にはならない」

「仮にそうだとしても、事実として金井氏は恵まれない人々に貢献しているわけですよね？　あなたの思想からすれば、金を使わない金持ちのほうが問題があるわけでしょう。それならば金井氏の人格や生い立ちはどうでもよくて、慈善活動に金を投じているという事実のほうが重要なはずでは？　そもそも、それは犯罪をしてまで恵まれない人々に貢献しようとしたあなたが批判できるようなことなのでしょうか」

「しかし、あれは税金対策……」

「だったとしてもです」

仕事柄か、この男は先ほどから諭すような物言いをする。

「義田さん。あなたは人間のある一面に対しては驚くほど鋭く深い洞察をされるようですが、それ以外の部分は驚くほど見えていないように思えます。いや、見て見ぬふりをしてきたのでしょうか。直視することを恐れているようにも思えます。人間というのは、あなたの仰る一面だけで断じられるほど単純でしょうか」

伝井はまたメモを見た。

「別の例を挙げます。冨永幸夫氏についてです」

「……ああ。そいつが一番いけ好かない。勲章を見せびらかして、勲記を俺に朗読させるクソジジイだ」

「ええ……。それは確かに醜悪だと思います。ただ、その程度のことですよね？」

「その程度……？　いやいや、あんたな……」

「あなたの話を聞いていると、私には、孫の冨永誠一氏に対する恨みを、祖父の冨永幸夫氏にぶつけているようにしか思えないのです」

「え……」

胸の奥がミシリとした。

「あなたが大学時代に冨永誠一氏から言われた言葉は事実として、それは祖父の冨永幸夫氏に関係ないでしょう？　あの……そもそもの話なのですが、大学時代に冨永誠一氏から『彼、黄色くない？』と言われたという話、それ、歯のことだったのでしょうか」

「へ……？」

「だって、冨永誠一氏は『彼、黄色くない？』としか言っていないんですよね……？　それだけでは歯のことなのかは分かりませんし、そもそもあなたのことかすら分かりませんよね？」

「お、おいおい。それは違う。俺は確かに聞いた。アレは……」

「聞いたのは『彼、黄色くない？』という言葉だけですよね？　そこまでは事実として、それ以外はあなたの想像……。申し上げにくいですが、あなたのコンプレックスが引き起こした被害妄想である可能性はありませんか……？」

「コンプレックス……？　被害妄想……？　はぁ……？」

この男は何を言っているんだ……？　俺がこれまで見てきた〝恵まれた人間たち〟は、間違いなく恵まれた人間たちだ。そして俺は恵まれていない人間で……俺が助けようとしたのも恵まれていない人間……いや、そもそも何を以て恵まれている、恵まれていないかというと……。

「義田さん。これまであなたが見聞きしてきたものは、どこまでが『事実』で、どこからが『想像』だったのですか……？」

伝井は困惑と哀れみの入り混じった顔で俺にそう言った。

どこまでが事実で……どこからが想像……？

想像……？

俺が……俺が想像に基づいて社会を恨んでいたとでも言いたいのか……？　いや……違う。この伝井という男が体制の犬だから、俺の思想を「思い込み」とか「想像」とか言って封殺しようとしているに違いない……。

だが、もしそうではなかったら……？

視界がぐにゃぐにゃと歪む。

俺はコンプレックスを背景とした誇大妄想に大層な理屈をつけて、あの大学の日から十数年間を生きてきたのか……？　犯罪計画を練っていたのか……？

シモ、お前にはこの社会がどう見えていたんだ……？　俺と似たような生い立ちのお前には、やっぱり俺とは違うものが見えていたのか……？

「義田さん？　義田さん、大丈夫ですか？　聴取を続けます。よろしいですね？」

「…………」

そういえば、俺はなんでこんなところにいるんだ？

＊　＊　＊

聴取を終え、ビルを出ると、外はすっかり暗くなっていた。

詐欺行為を自白しているのだから警察を呼べばいいのに、会社は明日以降も聴取をしたいらしく、今日は帰されてしまった。投資詐欺に関しては「これから事実関係を調査する」と。

会社の信用を著しく傷つけるスキャンダルだ。慎重になるのは分かるが、俺が明日も出社し聴取に応じると信じているあたり、度し難い平和ボケだと思う。だがもう、どうでもいい。

気がつくと、目の前の高層ビルがただの高層ビルにしか見えなくなっていた。町を歩く人は、ただの歩く人にしか見えない。足音は足音だし、自動車の音は自動車の音、工事現場の機械音は工事現場の機械音だ。東京から、俺はなんのメッセージも感じなくなっていた。

当たり前だ。町は喋らない。

「すみませ――――ん！」

突然、遠くから声をかけられて、俺は足を止めた。

「あっすみませぇん！　オレ今配信してて！　いいっすかぁ⁉」

走ってきた少し頭の足りない喋り方をする若者が、パソコン片手に話しかけてきた。

「ハイシン？　いや、何？」

「あっオレ、アウトロー系のジャーナリストやっててぇ！　あ、配信これYouTubeっす！　あ、チャンネル名『ケイタロウCHANNEL＠アウトロー／社会の闇』っていうんですけどぉ！　いいっすか？　ちょっと！」

「アウトロー系……？　ジャーナリスト……？　俺に何の用だ……？」

ジャーナリストを自称する男は「それがっすね」と前置きして話し始めた。

「〝ある筋〟から情報摑んでてぇ！　帝日証券の義田……あ、すんません名前出しちゃいますけどぉ、帝日証券の義田って人が、ヨグルトの件で最近話題の半グレグループと手を組んで金持ちに詐欺して現代の義賊だとか！　ね、その義田さんっすよね⁉」

……どこからそこまでの情報を摑んだのか。もしかしてこいつ、四井たち半グレグループが抱えているネットメディアの人間か？

「義田さんってぇ、金持ちから集めた金、恵まれない人たちに寄付しまくってるんすよね？　マジでやべーなって！　それってサイブンパイじゃないっすか、サイブンパイ！　是非うちの配信で取り上げたいと思ってて！　ずっと追いかけてましたぁ！」

なるほど。俺の革命をサポートするため、四井たちが手を回したに違いない。

この男のことは知らないが、四井たちのメディアであれば拡散力は馬鹿にならないだろう。こいつのYouTube配信とやらを通じて、全国に俺の思想を拡散しろということか。いい餞だ。

「あ、見ます？　配信画面、今見せますね？」

そう言って、男は俺にパソコン画面を見せてきた。画面にはこちらの映像とともに視聴者のコメントが流れている。視聴者数は五十二人。

……え？　五十二人……？

「お前……四井のところのじゃ……？」

「へ？　何がっすか？」

「ふっ……ははっ！　はははははは！」

「なんすか……？」

「ちょっともう一回、画面見せてくれ」

「あ、はい……」

　画面に俺の顔が映ると、コメントは速度を増して流れた。視聴者は少数だが、コメント量はそれなりに多く、いずれも過激な内容だ。

　社会に対して斜に構えた人間たちが先鋭化し、コメント欄で過激な思想をぶちまけているようだ。金持ちから金を奪い、さまざまな団体に寄付した俺の行為を賞賛する書き込みも多く見られる。

「義田さん！　画面に向かって何かメッセージお願いしますよ！　現代の義賊でしょ！　この腐った世の中にひと言、お願いしゃす！」

「世の中にひと言か……」

　配信画面には、事実と想像の区別がついていないと思われるコメントが流れている。彼らは「社会」というものを〝そういう形〟で認識し、それに基づいて憎んでいるのだ。

気持ちは分かる。俺は、歪んだ認知で怒りに身を任せ、社会正義を語る快楽をよく知っている。努力して能力と立場を得て、実際に行動までしてしまったほどだ。この画面に流れるコメントのように、ネットでくだを巻いているくらいが丁度良かったというのに。

　四位の言葉を借りれば、人間というのは屈折のたびに嫌いな相手が増えるとか。

　今さら、格差の上層にいる奴らへの認識を改めることはできない。

　今さら、この社会を肯定する人間たちを許すこともできない。

そして、お次はこのパソコン画面に映るこいつらだ。どうやら俺のやったことを賞賛しているこいつらだ。今の俺にとって、これほどグロテスクに見える奴らはいない。

つまるところ、屈折を繰り返し、嫌いな人間だらけになった者が最後に辿り着く考えは、これなのだ。

最後に吐く言葉など、これ以外ないのである。

「……ひと言だな？」

「はい！　マイクに向かってお願いしゃす！」

「全員くたばれ」

本書は小説投稿サイト「カクヨム」に連載した作品に加筆修正を加えたものです。

本作はフィクションです。実在の個人、団体、地名などとは一切関係ありません。（編集部）

［著者略歴］

エフ

キャリアコンサルタント。

YouTube動画の脚本制作の一環として小説を執筆。2020年発表、『なぜ銅の剣までしか売らないんですか？』が第1回令和小説大賞「選考委員特別賞」を受賞し、翌2021年に単行本化、2023年に文庫化（共に実業之日本社刊）。

YouTubeチャンネル→https://www.youtube.com/channel/UCqRV_ZIQhVKfxG1_WkNiRbg/

金融義賊

2023年6月15日　初版第1刷発行

著　者／エフ
発行者／岩野裕一
発行所／株式会社実業之日本社
〒107-0062
東京都港区南青山6-6-22　emergence 2
電話（編集）03-6809-0473　（販売）03-6809-0495
https://www.j-n.co.jp/
小社のプライバシー・ポリシーは上記ホームページをご覧ください。

ＤＴＰ／ラッシュ
印刷所／大日本印刷株式会社
製本所／大日本印刷株式会社

ISBN978-4-408-53833-4（第二文芸）